KB218204

기도하며 피는 꽃

박주영

아호: 서촌(書村)

경남 고성에서 출생하였으며, 부산시청과 부산서구청에서 근무하였다. 현재는 부산광역시서구자원봉사센터장으로 활동하고 있다. 문예시대 시 부문에 등단하였고, 부산시행정동우문인회와 한국가람문학회 회원으로 문학 활동을 이어가고 있다.

기도하며 피는 꽃

박주영
문학선
시·산문

글을 엮으며

죄를 참 많이 지었습니다. 천방지축 세월을 탕진하다가 정신을 차려 보니 큰 죄인입니다.

일찍이 공자가 예(禮)를 물었을 때, 노자는 "그대의 그 교만한 기상과 다욕(多慾), 음지(淫志) 등을 모두 버리도록 하라"라고 일렀고, 노자의 학(學)은 스스로를 숨겨 이름을 드러내지 않는 자은무명(自隱無名)을 본령으로 삼았다는데, 감히 저로서는 천학비재라 보잘것없고 부끄럽지만 어쨌든 시(詩)는 저의 작은 목소리입니다. 에세이는 더 작고 낮은 이야기입니다. 속엔 오래 참은 눈물도 있고 울림도 있겠지만, 일상에서 쓴 것을 그대로 올리거나 고쳐 쓴 것입니다.

화자(話者)의 입장에서 봐 주십시오. 저의 가슴속 작은 떨림도 숨어 있습니다. 고요한 밤에 풀벌레 소리 잦아지고, 별빛만 무수히 다가오는 바다 같은 밤하늘 바라보며, 오랜만에 소년처럼 나에게로 돌아왔습니다. 그러나 저의 글은 유치합니다. 또한 소리 없는 소리도 있어, 청자(聽者)의 귀에는 난청이 될 수도 있을 것입니다. 그만큼 많이 부족함을 너그럽게 이해해 주십시오.

더 촌스러운 이야기는 '나의 삶과 문학'에서 조금 털어놓았습니다. 이왕 시작한 것, 더 재미있는 이야기도 있지만, 다음으로 조금 더 미루어두겠습니다.

사랑하는 아내와 두 딸과 아들에게 지은 죄를 용서받지 못하겠지만, 사랑합니다. 어릴 때 대가족 식구분들, 저를 업어 키운 고모님들, 동생들, 그리고 저를 아는 모든 분에게 축복을 소망하면서 작은 글을 묶었습니다.

2024년 12월 서촌(書村) 박주영

목차

꽃과 눈물

삶과 사유

산과 물

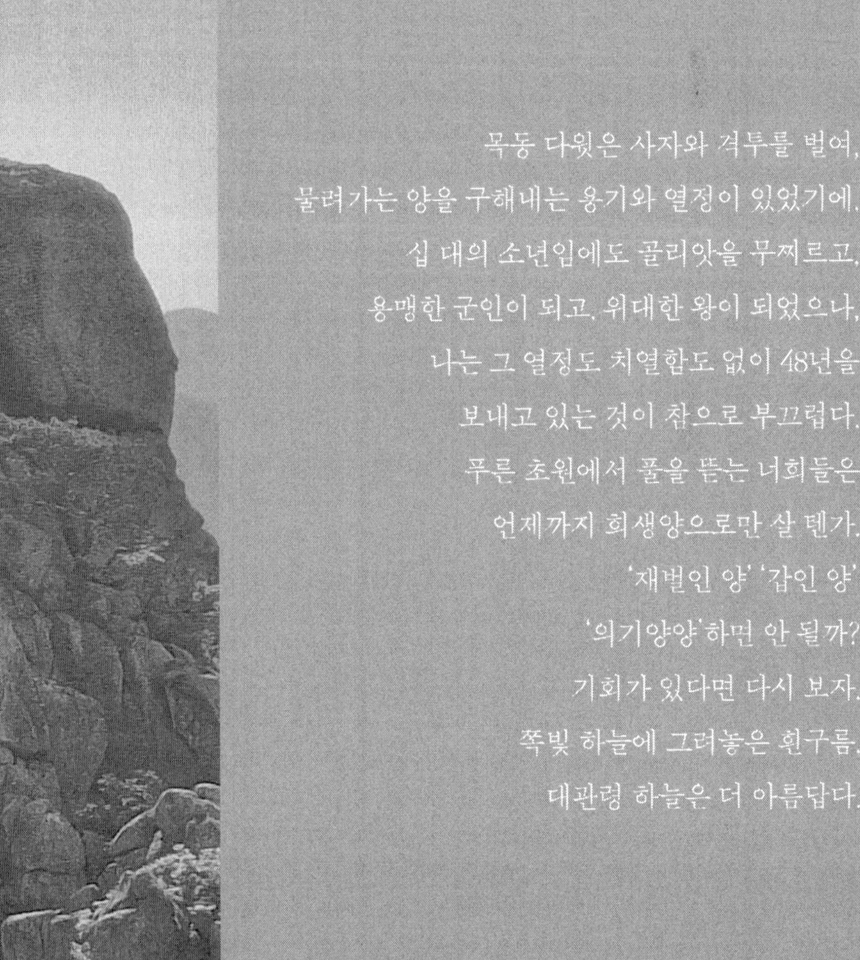

목동 다윗은 사자와 격투를 벌여,
물려가는 양을 구해내는 용기와 열정이 있었기에,
십 대의 소년임에도 골리앗을 무찌르고,
용맹한 군인이 되고, 위대한 왕이 되었으나,
나는 그 열정도 치열함도 없이 48년을
보내고 있는 것이 참으로 부끄럽다.
푸른 초원에서 풀을 뜯는 너희들은
언제까지 희생양으로만 살 텐가.
'재벌인 양' '갑인 양'
'의기양양'하면 안 될까?
기회가 있다면 다시 보자.
쪽빛 하늘에 그려놓은 흰구름,
대관령 하늘은 더 아름답다.

천마산 소한 일출(日出)

청산은 그리지 않아도 수려한
만고의 병풍이라 했던가

천마는 장군 · 진정과 함께 꽃 병풍 펼쳐
부산 남항과 감천항을 양옆에 품어 안고
천년의 가야금 소리에 취해 자는데

청룡의 해 소한(小寒) 새벽
천마 타고 오르니

태양이 여의주 물고
쪽빛 바다를 차고 치솟는구나!

태초의 그 빛이 온 누리에
축복을 쏟아붓는다

바다와 대륙
넓고 깊은 곳까지도

2024.1.6. 소한에

두만강 눈물

두만강 푸른 물, 노 젓는 뱃사공마저
다 떠나가고 사라지고 잊어졌다

누우런 황토물 유장하게 흘러만 가는데
작은 배 타고 오르내려 보았건만

울분 삭일 길 없어 가슴만 떨었다
(고구려의 혼과 땅은 어디로 팔았을까)

강기슭에 내려 누우런 막걸리 단숨에 몇 사발 마셨더니
국적 불명의 이상한 놈 되었다

한 쌍의 새는 바람을 거슬러 자유롭게 넘나드는데

말을 먹여 다 없애겠다는 '남이 장군'의 웅지도
'을지문덕 장군'의 기개도 다 말라 소진되고,

내 눈물도 피고름처럼 누우런 두만강물에 뿌려
장엄한 동해로 슬피 울며 떠나갔다

아! 나의 조국은 어디인가

두만강아 두만강아 두만강아!

반세기만의 천왕봉

까마득하게 잊힌 산, 오랜만의 지리산 산행!
청소년기 처음 천왕봉에 오른 후 반세기가 흘렀다

그때는 격렬한 수련도 하던 혈기 왕성한 시절이었고
지금은 마르고 앙상한 모습으로 오르니 격세지감이다

게으름과 자만에 빠져 세월을 탕진하고
운동이란 겨우 목운동만 해 온 큰 죄인

그러나 돌아온 탕자를 변함없이 너그럽게 용서하며
인내와 겸손도 배우고, 좋은 공기 얼마든지 마시라고

허기진 배 정갈한 피톤치드 가득 채우라고
웅장한 가슴을 열어 허락하고 안아 준다.

백두산에 이어 백두대간의 끝은 예방한 것이나
중간의 준봉들은 통일 후에나 가능할 것인가

공자는 태산에 올라 천하가 작아 보였다지만
나는 내가 작게 보여도, 큰 정기를 받아
회춘에 기분 좋은 걸
어찌 숨길 수 있겠는가.

2019.11.11.

금정산 구월 일출(日出)

해뜨기 전 금정산 고당봉
이슬에 흠뻑 젖어 미끄럽고 아찔하다

어둠을 지우며 여명이 틀 때
포노 사피엔스 시대라고 드론이 먼저 창공을 나는데

원시시대처럼 기어오른 놈은 날 수가 없구나
좌익도 우익도 싫어 날개가 없는 탓일까

멀리 해운대 마천루 수수깡을 세워 두었고
오른쪽 송도 해변 막대기 세 개도 솟았고

바다마다 다리라고 긴 장대 걸쳐 놓았는데
조무래기, 개미조차 눈에 보이지 않고
해(太陽)도 부끄러워 구름 뒤에 숨는구나

모두 나를 두려워하는 것인가
자만이 오만(傲慢)으로 취해 가다
뒤통수에 정신이 번쩍 들어

최고의 덕목 '겸(謙)' 자 하나 두 손으로 받아 안고
다 비운 채 날래게 내려왔다

유달산(儒達山)아 말해다오

'목포의 눈물'이 나오는 유달산

어릴 적 남인수 노래와 함께 축음기를 보며
신기하게 들어본 '목포의 눈물'

'목포 출신 문일석' 작사 목포 출신 이난영' 노래.
일제강점기 억눌려 있던 민족 정서를 되살리는 데
히트한 불후의 명작

'삼백 년 원한 품은 노적봉 밑에…'
한이 서린 가사와 '이난영' 특유의 목소리
민족의 심금을 울렸던 그 노래

일본 경찰(日警)을 속이기 위해
'삼백연(三栢淵) 원안풍(願安風)'으로 가사 고쳤던 노래

우리나라 최초의 노래비가 있는 유달산

'삼학도' 본래의 모습은 볼 수 없어도
노래 가사에는 남아 영원히 불릴 것이다

1980년대 본 후 삼십 년 지나서야 왔으니
언제 또 올 수 있을는지

유달산아 말해다오!

2021.5.29.

긴 울음

바다에 어찌 풍파가 없겠느냐

고통 없고 눈물 없는 삶이 어디 있겠느냐
아프지 않고 상처 없는 혼이 어디 있겠느냐

웅장한 산이라고 어찌 오를 수 없다 하겠느냐

오십 년 만에 지리산 천왕봉을 오르려다
한 번 중도 하산하며 쓴맛 본 후

두 번째 단단히 올라 표지석 만져 보고
해마다 한 번씩 올랐더니

길게 반세기 어둠 속에 참았던 고독과
울음이 터져 시(詩)로 환생했나

신인상으로 포장하여 나이롱 시인이 된
어쩌면 나의 가짜가 들통난 한 귀퉁이

참.

눈 공화국

눈산, 그 아래 기슭 눈 집,
눈 울타리, 그 밖에 눈 내(雪川) 건너 눈들(雪野)

온 천하 눈으로 짓눌려
숨소리조차 얼어 버린 세상

눈 뿔 쓴 채 길 잃은 눈 사슴아
여기서 이대로 쓰러질 건가
만년설원(萬年雪原)이라 포기하지 마라

머지않아 눈 녹고 시냇물 흐를 때
새록새록 꽃 피고 새순 돋을 때
자드락길 걷고 뛰며 살 만한 세상 온다

눈 공화국 봄눈 녹듯 겨울 공화국 사라지고
환희의 새들 떼창 소리
따스한 봄 나라 온다

소망 하나, 시린 가슴속 품고
우리 따스한 사랑과 희망을 위해
손잡고 가자.

2024.1.20. 대한(大寒). 강원도 폭설에.

구덕산

구덕산 기슭 꽃마을,
막걸리 몇 잔에 실없는 소리들
분리수거 없이 떠나지 않았던가

덕(九德)을 갖추었는가
동남쪽 아래 학교에서는
인재들이 수많이 배출되었고

구덕천이 발원하여
보수천으로 부산항으로 내달리며
거문고 가야금 소리 울렸지

구덕 수원지는 최초의 수도시설이라
부자들이 모여 살았고
대신동이라 했다

금정 산맥 남쪽 끝 봉우리
바다 건너 대마도까지 굽어보면서도

끝내 말은 없었다

안개 낀 금정산

간밤의 비에 아직 젖어 있고 안개에 덮여 있는 산을 올랐다
넓은 길이 아니고, 잘 안 다니는 오솔길을 택했다

두렵기도 하고 설레기도 하면서 나뭇잎에 묻어 있는 물기가 얼굴에
옷에 신발에 튀겼지만 참을 만했다

태초에 없던 길이 누군가 다녔기에 길이 되었으나
이제는 큰길만 다니니, 오솔길은 끊길 듯 말 듯 이어지고
옆의 개울에는 물소리가, 숲속에는 새의 지저귐도 다정했다

등성이에 올라서니 파리봉은 아예 안개가 지워 버리고
의상봉과 김유신의 소나무 바위도 보이다가 안개가 가렸다

대제국을 건설한 알렉산더가 통속에 앉아 햇볕 쬐는 디오게네스에게
"소원을 말해 보라, 왕국의 일부를 너에게 줄 수 있다" 했을 때 디오게
네스는
"비키시오, 당신이 햇빛을 가리고 있으니 비켜 주시오" 했다는데

난 구름이 가려 주니 고마운 생각뿐 젖어 있는 초목과 운무가 덮고 있는
산길이 호젓하고 상큼했다
나는 거저 무릉도원에 들어선 듯 어린아이가 되었다

2023.7.1.

사월의 끝자락에서

사월은 잊어졌다.

겨울인 듯 여름인 듯 놀리다가
봄이라고 감동하면 황사 시샘하고

가뭄과 돌풍에 축구장 오백 개 산불로 태워 버리면
뒤늦은 봄비가 강풍 폭우로 들이붓는다.

태어나고 죽고 부활하고 그리고 거시기한다.

거짓말과 사기꾼들이 천하에 만연하고
가난한 자 피해자만 더 슬프다.

양심을 팽개친 신문과 방송은 악마의 시녀로 앵무새 되고
눈과 귀를 더 괴롭힌다.
사월의 혁명은 이미 까마득한 전설 속으로 잊어졌다.
다만, 참고 견뎌 내는 것은 오월의 희망 때문이리라

'금방 찬물로 세수를 한 스물한 살 청신한 얼굴'
그 오월을 기대하며 오늘을 인내하는 것이다.

어제는 이 충무공 탄신일이자 천상병 시인이 귀천한 날이다.
그래도 세상은 좋은 분이 더 많고 좋은 일을 드러내지 않는 사람이 더 많은 세상이다.

밝고 맑고 순결한 그 오월이 지금 오고 있다.

---

* 금방 찬물… : 피천득의 오월.

유월의 금정산

금정산은 오랜만이다.

봄 여름 가을 겨울
많이도 올랐었는데

어이타 오지 못했을까

큰마음 먹고 왔더니
근심이 사라지고
생기를 되찾았구나!

오늘이 음력 오월 초하루
삼일 후면 하지(夏至)
그다음 날이 단오(端午)

금강산도 못 가게 막았지만
금정산은 누가 막겠느냐

금강도 지금쯤 봉래(蓬萊)라 할 것인데
금정산은 천구만별(千龜萬鼈)인가

돌도 자란다는 유월
어쨌거나…

유월의 금정산이 좋다.

지리산 천왕봉(天王峰)

작년 봄에 오른 후 금년 시월 말경 오를 거란 약속은 지켰다.

유홍준 교수가 말한, '환상의 드라이브 코스' '우리나라에서 둘째로 아름다운 길'
'구례에서 하동까지 섬진강을 따라가는 길'을 보지는 못했지만,

거리도 가깝고, 잘 익은 감을 보기 위해서 산청군 시천면을 택해 중산리로 들어갔다.

'금강산은 수려하나 웅장하지 못하고(秀而不壯),
지리산은 웅장하나 수려하지 못하다(壯而不秀)
묘향산은 웅장하기도 하거니와 수려하기도 하다(壯而亦秀)'라고 하여

해발로 치면 묘향산(1,909m)은 지리산보다 6m가 낮은데도
'장이역수(壯而亦秀)' '수이역장(秀而亦壯)'이라.

옛날 고승이 수려하고도 웅장한 우리나라 산세를 노래한 것은
지금도 유효한 것일까.

차가운 안개가 천왕봉까지 휘감고 땀에 젖어 추웠지만
지리산은 자태를 감추고 좀처럼 웅장함을 드러내지 않았다.
해발 1,500m 이상 20개봉, 20계곡은 보지 않아도 좋았다.

통일이 되지 않으면 묘향산은 영영 볼 수 없을까.
지리산 천왕봉에만 올라 정기를 받고 젊어졌다.

2022.10.30.

* 유홍준 교수(전, 문화재청장): '문화유산 답사기'에서 '묘향산으로 가는 청천강 강변길'을 '우리나라에서 제일 아름다운 길'이라 극찬한 바 있음.

금정산 의상봉(義湘峰)

동해의 망망대해를 한눈에 바라보는
망대의 역할을 하는 봉우리.

늠름하고 고고한 자태로 웅크린 호랑이가
동해를 바라보며 부산을 지키는
지혜로운 모습. 용호봉이라 했다.

전설에, 용이 여의주를 물고 승천하려 하자
금정산 산신령 호랑이가 승천을 저지하려고

용과 격렬한 몸싸움을 했고, 마침내 무승부로
바위가 되어 '용호봉(龍虎峰)'이 되었는데,

1970년대 산악인들이 '의상봉'이라 명명하여
그렇게 불리고 있다.

그 표지석도 어느 날 없어진 채 그대로
바닥의 바위가 날카롭고 바람도 강하므로
조심해야 하는 봉우리

인생을 배우는 봉우리

대관령 추억과 단상들

1970년 여름 대관령. 강원도 평창군 도암면 횡계리. 고랭지 시험장과 국립 종축장이 있는 그곳에서 일주일간 현장실습을 한 적이 있다. 주변의 많은 일들이 추억으로 남아 있는 곳이다.

도암면은 대관령면으로 이름이 바뀌었고, 종축장 등도 바뀌었지만, 48년이 지난 2018년에 대관령에서 숙박을 한다니 참으로 감회가 깊었다. 그때는 허름한 농가에 세 명이 한방에 기거했고, 올해는 알펜시아 리조트 고급 펜션에 묵게 되었다.

그때 종축장 첫날은 우사를 청소한다고 소똥을 뒤집어쓰며 힘 좀 들었지만, 그다음 날부터는 일주일 내내 양 떼 방목을 담당했다. 240마리 양 떼를 몰고 초지로 이동하여 하루 종일 방목하고, 오후에 다시 몰아 내려와 우리 안에 가두는 것이 내 임무였다.

날마다 초지를 바꾸어 가며 방목하다 보면, 하루 종일 나와 양 떼만 있고, 사람 하나 볼 수 없기에 소리를 지르거나 노래를 불러도 들을 사람은 없었다. 어쩌다 며칠 만에 한 명이라도 나타나면, 그렇게도 반가울 수가 없었다.

틈을 내어 말 타는 것도 배우고, 양털 깎는 것 등등도 거기서 처음 해 보았다. 연중 20일 정도만 짧은 소매 옷을 입을 수 있고, 나머지는 모두 긴

소매를 입어야 되는 서늘한 곳이고, 모기가 없는 곳이라 야간에도 시원하고 신기했다.

옛날의 그 비포장길과 주변 환경은 상전벽해처럼 변화되어 평창올림픽까지 치른 대단한 지역으로 변했다.

봉평 효석문화제도 끝난 후라서, 메밀꽃 필 무렵의 본고장을, 우리는 '메밀꽃 질 무렵'에 온 것이다. 가산 이효석이 좀 더 오래 살아서 '메밀꽃 질 무렵'이라는 책도 썼더라면 베스트셀러가 됐을 텐데, 아쉽다.

달빛에 소금 뿌려 놓은 것보다 햇볕에 천일염 쏟아부어 몸에 더 좋다고 했더라면 책 장사 좀 했을 것 아니었겠는가. 그러나 그는 애석하게 36세로 생을 마감했다.

올림픽이나 문화제나 축제 후 조용한 시간에 보는 게 묘미가 있는 것 같다. 어차피 메밀꽃이 져야 그 메밀 열매로 '메밀국수'도 '전병'도 맛보고 탱글탱글한 '메밀묵'도 먹을 수 있으니까.

그 옛날 그 양들은 볼 수 없지만, 양 떼가 보고 싶었고, 양에게는 항상 안 됐다는 생각이 인다. 태어나서는 '어린 양', 그리고 '순한 양'이었다가 마지막엔 언제나 '희생양'이 되기에.

목동 다윗은 사자와 격투를 벌여, 물려 가는 양을 구해 내는 용기와 열정이 있었기에, 십 대 소년임에도 골리앗을 무찌르고, 용맹한 군인이 되고, 위대한 왕이 되었다. 하지만 나는 그 열정도 치열함도 없이 48년을 보내고 있는 것이 참으로 부끄럽다.

푸른 초원에서 풀을 뜯는 너희들은 언제까지 희생양으로만 살 텐가. '재벌인 양' '갑인 양' '의기양양'하면 안 될까? 기회가 있다면 다시 보자. 쪽빛 하늘에 그려놓은 흰 구름, 대관령 하늘은 더 아름답다.

2018.10.7.

금정산 안개와 강풍

오랜만에 장군봉이 보고 싶어 고당봉을 넘어갔다.

중간도 채 못 갔는데 갑자기 안개가 휘감아 몰아쳤다
장군봉도 보이지 않고, 뒤돌아보니 고당봉 역시
안개에 가려 보이지 않았다

강풍에 안개가 엄청난 속도로 산을 휘감아 돌고 있었다
그야말로 오리무중(五里霧中)인데 금방 폭우라도 쏟을 형세라
속수무책(束手無策)

돌아갈 수도 나아갈 수도 없이 막막했고
전혀 예측하지 못했기에 진퇴양난(進退兩難)

거대한 대자연 앞에 나약한 작은 미물, 인간임을 실감했다

그러나 이왕 온 길, 장군봉은 봐야겠기에 전진했고
갑오봉에 문안드리고 나니 안개는 사라지고 맑아져
교만을 떨쳐 내고 겸허를 몸소 익혀 감사했다

장군봉을 찍고 고당봉을 다시 올라 북문으로 하산하니 상쾌했다
정기를 마신 덕일 것이다

평안과 담대함이 뿌듯함으로 전신을 적셨다.

비겁한 오월

가시 많은 장미까지도
빨갛게 얼굴 붉어지고

초록으로 싱그러운 산하
생명의 환희와 환성은
삶의 해상도를 높였어

찬물 세수한 얼굴로
하늘 치솟던 종다리
목청 높이 돋운다

"너무 비겁해!
이건 반칙이야!"

"눈부시게 찬란해!"

물기 젖은 메아리
비겁한 오월은 푸르고

청아하고 아름답다

금정산의 칠월

'청산은 그릴 수 없는 만고의 병풍이요 흐르는 물은 줄 없는 천년의 거문고'라오.
(청산불묵 만고병 青山不墨 萬古屛 유수무현 천년금 流水無絃 千年琴)

금정산이 그렇게 거기 있다.
장군봉 갑오봉 고당봉 사기봉 원효봉 의상봉 파리봉 상계봉이 줄지어 병풍을 두르고,

동쪽으로 동해가 태평양 파도 다독이고 서쪽으로 칠백 리를 달려온 낙동강이
거문고를 내려놓은 채 유유히 흘러 남해바다로 무대를 넓혀 나간다.

국내 최장의 산성(山城)을 품속에 안고 푸른 물결 응시하며 지키고 서 있는
호국의 산 금정이라

나라에 이바지한 것 없는 이 몸도 삼 년간 국방에 헌신한 적은 있으니
칠월 가뭄 땡볕에 입대하여 흙먼지 속을 뛰고 뒹굴던 그 시절 그맘때가 떠오르면,

목 타는 갈증은 추억으로 기억되어 반세기의 세월과 그 추억을 딛고

나는 금정산을 오른다.

불행했던 사람들의 눈물을 닦아 주고 하반기의 알찬 결실을 거두라고
태양은 맹렬하게 응원하고 있다.

병풍과 거문고는 그대로 둔 채, 洗心井(세심정)에 마음을 씻고
샘솟는 희열과 자존감에 감사하며
나는 또 뜨거운 7월에 金井山을 오르는 것이다.

구덕수원지 애환

구덕 수원지 표지석이 설치됐군요. 아직 공무원으로서의 틀이 잡히지도 않고 야생마처럼, 20대 초반의 청년 시절. 1972년 9월 14일 오전, 폭우로 구덕 수원지 둑이 터져 수많은 인명 피해가 있었지요.

보수천 주변은 물난리로 큰 장독들도 떠내려가고, 어떤 젊은이는 떠내려가다가 동신 파출소 다릿발을 손으로 잡고 안간힘을 쓰는 것을 위에서 사람이 건져 올려서 살았습니다.

다음 날 오전 구덕야구장 옆으로 건너가는 다리 위에서 보니, 냇물이 좀 빠진 상태라 반지를 낀 손가락처럼 보이는 것을 건져 올리니 젊은 여자였습니다.

또 그 밑에서도 사람이 건져 올려지고, 시신을 다리 위에 올려 놓고 거적을 덮어 놓아 간간이 얼굴을 보고 신원을 파악하는 자도 있었는데, 나는 처음 보는 시신이라, 충격으로 그날은 밥도 아예 먹지 못했지요.

서구청에는 국정감사장을 차려 놓고, 모 야당 국회의원이 서구청장과 부산시장의 책임을 물어, 목이 잘릴 것은 확실하다는 험한 말이 돌고 있을 즈음, 10월 17일 난데없는 정변(政變), 시월유신이 선포되고 동시에 국회도 해산해 버렸으니, 국정감사로 큰소리치던 국회의원의 목이 먼저 날아가 버렸습니다.

모 서구청장은 한참 후 내무국장으로 영전되고, 모 부산직할시장은 나중에 영전을 거듭하며 서울특별시장, 대통령 비서실장 등등을 하시게 되니, 관운은 따로 있다고 회자되었지요.

부자들이 모여 살던 대신동 시대, 경남도청과 법원 검찰청도 부산 서구에 있던 시절, 구덕골과 보수천에 흐르던 추억들이 반세기를 지나면서 더러는 잊어버리겠지요.

오늘 말복을 잘 즐기시고 좋은 휴일 보내세요.

금정산(金井山) 겨울 산행

오늘은 2022년 1월 말 (음력) 섣달그믐이다.

장대, 제4망루, 성벽을 따라 의상봉, 원효봉, 사기봉, 북문, 고당봉으로.
동해의 푸른 물결, 그 아래 해운대 작은 장난감 빌딩과 광안대교
서쪽으로 유유히 흐르는 낙동강, 하늘을 이고 안고 있는 금정산

코로나 · 오미크론 종식을 기원해도 말이 없다.

천구만별(千龜萬鼈)*을 품고 있는 금정산
그 작은 것들은 말하지 않는다.

내일이 설날이고 며칠 후에 입춘이라고 수다 떨지 않는다
다만 묵직한 것 하나만 가르쳐 줄 뿐이라.

나는 그것만 하나 안고 서문으로 조용히 빠져나왔다.

설날 복 많이 받으세요!

의상봉 표지석은 누가 없앴을까요? 설마 누가 또 대통령 해 보겠다고 그러지는 않았을 텐데. 필시 무슨 곡절….

* 천구만별: 천 마리 거북과 만 마리의 자라.

지리산 가는 길

지리산 천왕봉을 오른 지 꼭 1년 만이다.
그런데도 까마득한 옛날처럼 느껴지는 것은 무슨 심사일까.

1년이 길어졌을까 윤사월이 있었기에 그럴까.
힘든 일들을 겪었기 때문일까.

올해도 10월 말경 등정할 생각이 반쯤은 있었으나
어쭙잖게 불의의 사고를 당하면서 완전히 접게 되었다.

금년에는 못 가지만 내년감에는 갈 수 있을는지 영영 갈 수 없을는지….
중산리 가는 길가 늘어선 그 감나무들 눈에 선하고,

땅바닥에 닿도록 가지를 휘어 가면서도 매달려 있는
탐스러운 감들이 아련하다.
어찌 그리 예쁘게 아름다운 빛깔로 줄지어 선 풍경을 잊을 수가 있겠는가.

지금은 곶감으로 깎이어, 처마 밑에 알몸으로 매달려
찬바람 맞고 울고 있을 것이다.

시월엔 중산리로 가 보고픈 이유였는데.

2020.11.11.

금정산 고당봉 표지석(標識石)

금정산도 봉우리마다 크고 작은 표지석이 지금은 다 있다.
국내 최장의 산성을 지닌 호국(護國)의 산이자 부산의 진산(鎭山).

장군봉, 원효봉, 의상봉, 파리봉, 상계봉… 준봉들과 함께 주봉인 고당봉이 있다.

2016년 8월 1일 새벽 5시, 문득 금정산 방향을 보다가 깜짝 놀라고 전신이 굳어졌다. 금정산 위쪽 하늘에 시커먼 먹구름이 덮고 거대한 블랙홀이 우주를 삼킬 듯이 험상궂은 모습에 온몸이 떨려 감히 바로 볼 수도 없었다. 그렇게 무섭고 두려운 구름은 난생처음이었다.

엄청난 공포에 떨며 집으로 피신하다시피 했고, 그 구름이 천둥 번개를 동반한 폭우로 쏟아지면서, 벼락으로 고당봉 정상의 표지석을 깨뜨려 버렸다.

모세가 십계명 돌판을 던져 다 부숴버린 장면이 불현듯 스쳤는데 공작으로 속이고도 모자라 아예 역사까지 왜곡하며 교만해지자 참지 못했던 것인가.

나라의 정치를 한다는 자들의 농단 행태가 적나라하게 드러나면서 국민들은 어이없어 웃다가 분노로 들끓고, 시민들은 표지석을 다시 세웠다.

적폐는 일제부터 대를 이어 뿌리가 깊어졌기에 발본색원은 거의 불가능하지만, 어느 정도는 국민이 해냈던 것 같다.

산 정상의 표지석도 한번 만져 보고, 대자연 앞에 좀 겸손해지면 얼마나 좋을까요.

송도 해상 케이블카

누구나 자기만의 바닷가 하나씩은 있는 게 좋다고
언제나 찾을 수 있는 나만의 바닷가 하나는
있는 게 좋다고 시인이 읊으셨지

1970년대 송도에 살았어도 타지 않았어, 파도만 봤고
40년 후 바다 위 86m에 추억 하나 새겨 놓고 왔다

새로 띄운 해상 케이블카! 6월 21일 정식 운행한다

거칠게 뒤흔드는 중국 천문산의 것과는 또 다르게
조용하고 시야가 탁 트여, 태평양 한구석을 본다

언제나 찾아갈 수 있는 나만의 고독한 바닷가
시승(試乘)에 더 고독해질까 염려도 날려 버렸다

맑은 날 흐린 날 눈비 오는 날도
파도만 보지 말고 별도 보고 섬도 보면서

고해만 보지 말고 낙토도 찾아보고
인생의 깊이가 보이는지 내려보고 올려보면서

가슴을 펴고 나만의 바닷가를 품어 보자

2017.6.19.

금정산 교훈

국립공원 지정 여부와 관계없이, 금정산은 부산의 진산이다. 나라 안에서 가장 긴 산성이 있는 호국의 산이다.

나를 '금정산에 날아다니는 사람'이라고 추기며 말하는 이들이 있었는데, 나는 그 말을 곧이듣고 자만하게 되었고, 지리산 천왕봉 등정에 나섰다가, 혼이 나고 겨우 장터목까지만 넘어 하산한 적이 있다. 준비성 없이 교만하면 어떻게 되는지 혹독한 체험을 한 것이다.

그 뒤로 금정산에 오를 때는 기본부터 배우는 자세로, 뛰지 않고, 꾸준히 걷게 되었다.

금정산은, 거대한 바다를 응시하고, 낙동강은 물론, 김해와 양산까지도 내려다보고 있지만, 입으로 가르치려 하지 않는다.

우리가 오르고 또 내려오며 속세의 오만과 교만의 암 덩어리를 씻어 내고, 정직과 인내와 겸손을 배우며, 건강과 사랑을 채워 감에 감사하지만, 요즘처럼 불가마 같은 폭염 속에서도 옛날 새벽처럼 천둥번개 치고 폭풍우 때릴 때도 눈보라 휘몰아치는 엄동설한에도 그녀는 말없이, 다만 거기에, 그렇게 있다.

금정산은 그리 높은 산이 아니지만, 작은 산은 아니다.

2018.7.29.

텃밭인가 주말농장인가

그냥 작은 밭이다. 멧돼지 녀석이 굴착기 시범을 보이고, 산짐승 놈들이 운동회를 개최하여 결딴내 버린 곳에, 버리는 페트병을 달아 놨더니 소리 내며 잘 돌고 있고, 겁을 먹었는지 더러워서인지 지금까지 그런 운동회 흔적은 없었다.

그 작은 씨앗을 심어 싹이 돋고, 싱그럽게 자라는 모습을 보는 것만으로도 생명의 신비에 감동하고, 종류마다 다른 독특한 향기는 살갗으로 스며, 가슴을 적시고 온몸에 배어드는데, 땅에서 풍기는 흙의 냄새는 태고의 향, 바로 그것이다.

태초에 사람의 형상으로 빚었다는 그 흙이 아니던가. '살진 젖가슴과 같은 부드러운 이 흙을 발목이 시도록 밟아도 보고 싶다'라고 영탄했던 이상화 시인의 빼앗긴 들, 그 흙이 아니던가.

'껍데기는 가라'라고 외쳤던 신 시인(申 詩人)의 '향그러운 흙가슴' 그 흙이 아니던가. 그렇게 넓은 땅과 최신식 농기계도 필요 없고, 작은 호미와 괭이, 수건포만 있어도 충분하다. 태풍 피해는 조금 있지만 용케도 잘 견뎌 주었고, 철마다 꽃과 잎, 열매와 뿌리까지 선물하는 녀석들은 기특하기만 한데.

차가운 철근 콘크리트조 건물 몇 층 바닥에서만 먹고 자고 빼대어 온

나는 강가에 나온 아이와 같이 온몸에 풋내를 묻히고 땀도 흘리며, '향그러운 흙가슴'을 만져도 보고, 밟아도 보고 싶어 당분간은 주말 등산도 못 가는 이유가 될 것이다.

2019.10.9.

금정산 강풍과 치유

오랜만에 금정산에 올랐더니 바람도 시원해서 좋았는데, 일본에 상륙한다는 태풍이 기습한 것인지 사진을 찍어 준다는 사람이 바람에 날려 쓰러졌다. 간신히 찍고 나니, 빨리 하산하자고 아우성이라 내려가며 하는 말은 '하루만 운동을 적게 했어도 날아갔을 것' '몸무게 1kg만 적었어도 날아갔을 것' 등등 자평을 하며 하산하는데.

난데없이 진송남의 '잘 있거라 공항이여' 노래가 떠올라 흥얼거리고, 2절은 문주란의 공항(버전)으로 마무리될 무렵, 산장에 도착, 늦은 점심을 거나하게 복용하고, 소화도 시킬 겸 서문으로 걸어내려 가는 중에 웃음이 나왔다.

짙은 안개도, 내린 이슬도, 그런 가로등도 없는 금정산에서 옛날 공항 시리즈 노래가 떠오른 것은 무슨 조화일까? 폭풍의 충격이었을까. 공연히 너스레를 떤 것이었을까.

다시 고요함 속에 서문을 찍고, 화명수목원으로. 좋은 것 다 둘러보고 천천히 걸어 내려오니, 발은 좀 피곤하나 심신은 더 맑고 좋았다.

축복의 계절이다.

2019.10.13.

물에 빠진 어린 새

텃밭 물통 옆을 지나다가 물에 빠져 가늘게 떨고 있는 새 한 마리를 발견했다. 날개를 다 편 채 물에 젖어 꼼짝을 못 하고 있었다. 얼른 건져 올려 보니 아직 살아 있는 듯했다. 물통 뚜껑 위에 올려놓으니 서지도 못하고 뒹굴며 다리를 들어 떨었다. 체온도 빼앗겨 기진한 상태인데, 보온을 해 줄 도구도 없고, 손안에 올려 보니 깃털까지 젖어 차갑다.

급한 김에 입김을 불어 녹일 수밖에 없었고, 심호흡을 하며 뜨거운 입김을 계속 불었다. 간절한 기원과 함께하니 입김도 더 뜨거워지는 것 같았다. 염원은 절체절명의 안타까운 시각들과 함께 초조하게 길게 이어져 갔다. 얼마간의 시간이 지나자 온기가 오르고 작은 생명의 떨림과 심장박동이 느껴졌다.

드디어 편안한 모습으로 눈을 뜨길래 이젠 살겠구나 하는 희망이 보였다. 눈을 감았다가 뜨기를 몇 차례 거듭하여 살아났다는 확신을 갖게 된 후에도 다시 입김으로 더 데워 주었더니 똑바로 서 있게 되었다.

나를 바라보며 꼼짝을 않길래, 내 얼굴을 잘 봐 두라고 모자도 벗어놓고 안경도 벗어, 맨얼굴을 보여주었다. 앞으로 나를 보더라도 두려워 말라는, 친근한 인식을 심어 주기 위함이었다. 다시 한번 손을 내미니까 '짹' 소리를 내며 모자 위로 날아올랐다.

소리까지 내며 날개를 퍼덕였으니, 확실히 살아난 것이다. 모자에 생똥을 싸도 좋았다. 천국 구경까지 하고 온 것일까….

초보운전도 아닌 처녀비행을 잘못하여 혹독한 신고식을 치른 것 같았다. 나는 귀가해야 할 시간인데 고민이 되었다. 새를 두고 갈 것인가 집에 가지고 갈 것인가. 집에 데려가면 확실하게 살릴 수는 있겠으나, 다른 한편으로 생각하면, 어미 새가 얼마나 애타게 찾고 잠 못 이룰 것인가를 생각하니 못 할 짓이었다.

그대로 두고 가기로 했다. 아마 건져낼 때부터 어미 새가 숨어서 숨죽이며 지켜보고 있었을 수도 있고, 인명(人命)이 재천(在天)이라면, 조명(鳥命)도 재천(在天)일 것이라는 생각 때문이었다.

못내 떠나올 때도 끝까지 나를 보고 있는 모습이 안쓰러웠고, 집에 와서도 마음은 편치 않았다. 눈을 떴을 때 나를 바라보던 그윽한 그 눈빛이 떠올랐다.

부디 건강하게 성장하여 자유롭게 살아가길 기도한다.

2020.7.10.

한국 영화에 대한 단상들

변종 바이러스로 연일 우울한 소식들뿐이라, '춘래불사춘(春來不似春)'이란 말도 얄미울 지경이었는데, 모처럼 단비 같은 좋은 소식도 있다.

이 와중에도 영화 '기생충'이 어제(8일)까지 일본 매출 40억 엔을 돌파하여, 일본에서 가장 흥행한 한국 영화가 됐고, 영국에서는 예수님도 넘었단다. '패션 오브 크라이스트'를 넘어, 비영어권(외국어) 영화로는 최고의 흥행작으로 등극했고, 북미에서도 승승장구하며 전 세계 2,900억 원 이상을 벌어들이고 있는 중이란 소식이다.

한국 영화 '기생충'이 세계적인 명성과 각종 수상의 영예를 받은 것을 시샘이나 하듯이 '코로나19'가 온 나라를 들쑤셔, 지독히도 흥행 운이 없다고 탄식했다.

사실 어릴 때 농촌마을 조그만 예배당 마당에서 활동사진(무성영화: 無聲映畵)을 처음 본 후, 시골을 순회하며 천막을 치고 상영하던 가설극장에서, 필름이 자주 끊어지는 열악한 흑백영화를 보던 때를 생각하면 격세지감이다.

'총천연색 시네마스코프' 하면서 광고를 때리고, 컬러 영화를 만든 우리 영화는 장족의 발전을 해 왔다.

'기생충'은 감독을 비롯하여 배우, 기획, 각본, 제작, 홍보, 통역 등을 담당해 주신 분들의 기발한 발상과 노력의 결실이라 본다.

온갖 핍박과 어려움을 잘 이겨낸 눈물겨운 사연들도 적지 않았다. 이제는 새봄이 왔으니 앞으로 영화산업의 발전에 더 정진해 주실 것을 기대한다.

또한, 우리 영화를 보면서, 고쳐야 할 아쉬운 점을 토 달아 본다면, "꼭 '쌍욕'이 들어가야 영화가 되느냐?" "꼭 칼이나 흉기로 사람을 살해하는 장면을 적나라하게 보여줘야 하느냐?" 하는 것들이다.

전쟁 영화나 조폭 영화 등 특수한 경우도 아닌데, 강한 쌍시옷이 들어간 쌍욕을 안 써도, 거친 말이 얼마든지 있고, 살해 장면은 그렇게 잔혹하게 보여주지 않아도, 간접적으로 표현하거나, 멀리서 잘 보이지 않게 처리할 수도 있을 텐데….

관람 후에 오랫동안 트라우마로 마음속에 남아 고통이 되고, 후유증으로 나쁘게 작용한다는 생각에서이다.

그러나 이것은, 좋은 영화이지만 더 훌륭했으면 하는, 내 개인적인 생각일 뿐이다. 한국 영화의 무궁한 발전을 기원한다.

2020.3.9.

지리산(智異山) 천왕봉(天王峰) 2

민족의 영산(靈山) 지리산!

2019년 십일 월 초에 오른 후
일 년 반이 채 안 되어 다시 올랐다

그때는 코로나를 모르던 시절이었고
오가는 연도에는 즐비한 감나무에
붉은 감들이 탐스러운 가을이었으나

지금은 하얀 벚꽃이 만개하여
장관을 이루고 있는 봄이다

지리산은
섬을 제외한 육지에서만 보면
남한에서 제일 높은 산

우리나라에서는 백두산 다음
두 번째로 높은 산이고
백두대간의 한쪽 끝이다

20개 국립공원 중 가장 넓고,

해발 1,500m 이상 20 개봉,
20계곡도 유명하다

전북 남원, 전남 구례,
경남 산청, 하동, 함양에 걸쳐 있는
광활한 국립공원을 가지고 있다
(483㎢, 둘레 800리).

아직 응달에는 눈이 녹지 않아
비닐하우스처럼 허옇게 보이는데…

주말인 오늘 비가 와
막 피워 낸 벚꽃이 안타깝다.

천왕봉은 장엄한 자태를 또 덮는다.

2021.3.27.

금정산을 걸으며

'눈앞이 아득하다 태평양 물결 큰 포부 가슴속에 꿈틀거린다'라는 노산 이은상의 시가 말하듯이, 금정산은 바다와 낙동강을 굽어보며, 등성이를 따라 준봉들과 기암괴석도 즐비하다. 곳곳마다 신비로운 전설과 역사가 그곳에 서려 있다.

우울한 심경을 털고자 주말에 산을 걷다 보면, 아직도 차가운 기온과 바람은 겨울인 듯하고, 어떤 때는 난데없는 노래가 나오기도 했지만, 이번에는 영화가 떠올랐다.

또 봉준호의 '기생충'이, 오스카 4관왕에 이어 미국 골든 더비의 '2010년대 최고의 영화' 6관왕에 선정되었다는 소식이었다.

'호사다마'라 하다가, 세계 누적 매출 3,000억이 넘었다니 그나마 '조금은 다행'이라는 생각이 들고. 코로나만 없었으면 좋은 봄날을 만끽할 텐데 안타깝다.

방역을 하는 김에 거짓과 가짜 뉴스를 만들어 뿌려대는 독충들까지 싹 다 없애야만 경제를 비롯한 모든 분야를 살려 낼 수 있을 것이다.

불철주야 애쓰는 모든 분들께 감사하며, 모두가 평온하고 건강한 일상을 빨리 되찾으시길 기원한다.

2020.3.15.

승학산

구덕산 지나 깔딱 고개
깔딱 멈춰 서쪽을 보면

억새밭 펼쳐져 은빛으로 숙성되고
'학이 힘차게 날아오르는 형상'
'승학산'이라

정상에 올라
남서쪽으로 낙동강 하구와 너른 평야
바다가 일망무제로 탁 트이면

호연지기 넘쳐 가슴 넓어지고
대마도도 굽어보고 김해평야도 내려보며

웅지도 솟고, 만석꾼 부자 된 듯 빠질 즈음
정신 번쩍, 억새가 죽비소리 아우성치네.

파리봉의 자태(姿態)

천왕봉에 올랐다고 지리산을 안다고 할 수 없듯이,
고당봉에 갔다 왔다고 금정산을 안다고 할 수 없을 것이다.

그중에도 파리봉은 거대한 바위들이 웅장한
모습으로 굵직한 선을 노출시키고 있고

수정처럼 빛나는 산정에 코끼리가 낙동강물을 마시는 형상이라,

조그만 것들이 도토리 키 재기하며 아웅다웅 헐뜯기나 하고,
모함이나 험담을 일삼는 자들을 작은 파리 새끼만큼도 여기지 않는 듯
늠름한 모습이다

파리봉(玻璃峰)의 수정(水晶)처럼 맑고 빛나면서

겁나게 좋은 세상은 언제 오려는가.

2020.3.22.

산행과 잡상(雜想)

언제 끝날지도 모르는 답답한 코로나 시국. 심신을 달래고자 산으로 나서는데 화사한 벚꽃이 온몸을 적신다.

오늘은 인적이 드물 것 같은 길만 찾아서 걸으니, 생소하고 운치 있고 호젓하다. 밧줄 하나에 의지하여 거의 수직으로 오를 땐, 길을 잘못 선택했구나 하는 후회를 하면서도 정신을 집중하여 잘 올랐다.

상계봉, 금정산성 남문, 제1, 2 망루로 걸으면서… 마스크도 없이 떠들며 스쳐 지나가는 자들을 보고는, 저런 사람들이 산에는 왜 왔을까 하는 생각이 들고, 담배꽁초까지 발견되니 어이가 없었다. 파렴치한 자들은 여의도에만 있는 줄 알았는데, 이런 신성한 산에까지 감히 올라와 추태를 보이는지….

실제로 전자 통신, 예술, 스포츠 분야 등에서 세계 최고의 실력을 발휘하는 애국자들이 있는 반면, 일신의 영달만 추구하는 추악한 자들도 적지 않은 듯하다.

한 번만 당선되면 4년간 해 먹는다는 생각뿐이라, 지금도 몰려다니며 나랏돈 빼먹을 계산에만 몰두하고 촐랑대며, 입만 열면 누구를 심판한다고 나대고 있는 중이다. 심판은 主人(국민)이 하는 것이고, 자신은 심판 대상인 줄도 모르고.

설령 판검사라도 '我心如秤(아심여칭)'의 품성을 갖춘 자만이 심판이 가능하지 않을까. 제갈량의 '읍참마속'도, 솔로몬이 간구한 '지혜'도 궁극적으로 아심여칭일 것이다.

이럴 때일수록 중심을 잡아야 한다고 잠시 상념에 젖었지만, 산행은 후련하고 보람 있고 좋았다. 삼월을 잘 보내면서, 사월은 더 잔인하지는 않아야 될 텐데….

산뜻한 꽃들은 코로나도 모르는 모양이다. 그렇게 맑고 고운 빛을 아낌없이 내뿜는 것을 보면서. 4월엔 모든 분께 축복이 깃들길 소망한다.

2020.3.31.

달라진 성묘(省墓) 풍속도

벌초하러 가면, 풀 냄새, 흙냄새, 산바람 냄새, 나무 냄새, 안개 냄새, 바위 냄새, 숲속의 계곡물 냄새가 나를 반긴다. 이 냄새들은 다 향(香)이다. 코로만 맡는 향이 아니고 살갗으로 살 속으로 골수로 가슴 깊이 스며드는 싱그러운 기운이며 상서로운 서기(瑞氣)다. 흥건히 온몸에 배고, 갓 익은 싱싱한 알밤도 줍는다. 엊그제 같은 옛날 생각들이 유년기로 되돌려준다.

그런데 금년에는 달라졌다. 코로나 전파를 예방한다고 벌초는 4명이 할 테니까 아무도 오지 말라는 것이다. 찻길도 없는 심산유곡의 7대조 산소까지 다하려면 이틀은 족히 걸릴 것인데, 벌초는 동생들이 다 한단다.

고마운 일이다. 전국 각지에서 모여드는 번거로움을 없애고, 성묘는 각기 편한 시간대에 할 수 있게 됐다.

기후 돌변의 참상과 쉼 없는 '뉴노멀'의 변화에도, 눈만 뜨면 남 약점이나 캐고 헐뜯는 이 꼴불견 세태에도, 앞장서 헌신하는 아름다운 사람들이 있어 세상은 살 만하다.

이 어려운 시기에도 멀리서 추석이 오는 소리, 바람결에 시원하다.

2020.9.15.

아직도 잔인한 사월(四月)인가

산기슭 새봄을 재촉하던 매화나무
앙증맞은 열매 맺어 매실나무로 변신하고

수많은 꽃들도 피고 지고 맺는다.

회자정리(會者定離)의 쓰라림을 안겨 주는
잔인한 사월은

치유되지 못하는
현재진행형 아픔일까

사람들도 꽃과 같이 피고 지는데
거자필반(去者必返)이라 하지 마라

꽃은 다시 피련마는
사람은 그러지 못함이 한이라

차라리 생자필멸(生者必滅)이라 직언하고 위로하라
망각의 세월 속에 희미한 기억마저 퇴색되어 사라지길…

산에 오르는 것은 아픔을 삭이기 위함일까

치유를 위한 기도일까

사투리 욕설 단편(斷片)

부산에서도 금정산 중턱까지 다니는 좌석버스가 있다. 금성마을에서 온천장역까지 왕복하는 대형버스 안. 할머니가 차비를 절반만 냈기에, 운전사가 '차비를 적게 냈다'고 했던 모양이다.

할머니의 반응을 궁금해할 시간도 없이 "쎄빠질 놈, 오데서 온차비를 다 받아 묵을라카노! 아침부터 욕을 몬 얻어 쳐묵어 환장을 했나? 그기서 몇 발 된다고. 온 차비를 다 받아 쳐묵을라카노!"

연신 속사포처럼 퍼붓는 욕설은 좀체 그칠 기세가 아니고, 젊은 운전사는 아무 말 없이 듣고만 있다. 계속해서 그 할머니는 구시렁거리며 욕을 퍼붓다가 내리는 곳에 닿자 내렸다. 죄 없는 운전사는 욕만 먹고….

일제 강점과 해방과 동족상잔의 비극 속에 피난민 집산지 부산, 거기서 살아내려면 그래야 했을지도 모른다. 자식들이 애를 먹이면, "쎄빠질빠질놈" "쎄가 만발이나 빠져 뒈질 놈"이라 예사로 하거나, "쎄를 박고 죽어야지"라고 매몰찬 독을 뿜어내기도 했다.

글도 배운 적이 없었고 삶이 고달프기에 말은 그렇게 해도 되는 줄 알았을 것이다. 그러나 국제시장에서 일하며 아들 둘을 어렵게 키우던 한 엄마는 "에이 복 받을 놈!"이라 했다는 것이다. 다른 사람들이 "쎄빠질놈" 할 적에 그분은 "복 받을 놈(사람)"이 욕(?)이었던 것이다.

그 아들 둘은 큰 인물이 됐다. 장남은 굴지의 큰 기업을 일구었고, 차남은 큰 정치인이 됐다는 전설적 실화가 있다.

역동적(力動的) 삶을 살아오면서 또 한편으로 더 역동적(逆動的) 삶을 살지 않으면 살 수 없는 그 시대. 그 억척의 삶을 살아낸 자화상을 보는 듯 가슴이 찡하다.

코로나로 더 어려워진 살림살이… 복 받을 말을 해야 하겠다. 모든 분께 다 축복을 기원한다.

2021.4.29.

금정산은 소이부답(笑而不答)

금강산은 빼어나긴 하나 웅장하지 않고(秀而不壯 수이부장), 지리산은 웅장하긴 하나 빼어나지 못하다(壯而不秀 장이불수)라고 했는데, 금정산은 무어라고 할 것인지 물어볼 수도 없다. '휴정' '유정'도 안 계시고 신영복 교수마저 떠나셨으니….

구월산은 웅장하지도 빼어나지도 않고(不秀不壯 불수부장), 묘향산은 웅장하기도 하거니와 빼어나기도 하다(壯而亦秀 장이역수)했지만, 금정산은 물어보지도 않았는데 소이부답(笑而不答 소이부답)이다.

'금빛 물고기가 살았다'는 전설이 있고, '천 마리의 거북과 만 마리의 자라(千龜萬鼈 천구만별)'가 거기에 있다고 하나, 사람이 어찌 명산을 보고 평(評)을 할 수 있을까. 그 속에 무궁무진한 것을 어찌 감히 헤아린단 말인가.

수려하고도 웅장한 우리나라 산세(山勢)를 보고 수이역장(秀而亦壯), 장이역수(壯而亦秀) 찬탄했던 것은, 그 시대 최고의 지성이 시(詩)로 읊은 멋이었을 것이다.

나는 그저 금정산에 올라, 부산, 김해, 양산, 3개 시(市)를 내려다보며, 열심히 살아가는 사람들의 건강과 축복을 기원할 뿐이다.

장맛비 소리 좋았다

보아도 보이지 않고(視而不見 시이불견), 들어도 들리지 않고(聽而不聞 청이불문), 먹어도 그 맛을 알지 못하니(食而不知其味 식이부지기미) 슬펐다.

아예 입맛을 잃어버렸으니 보이는 것, 들리는 것도 없었다. 장맛비가 내렸다. 나뭇잎 풀잎에도 툭툭 치다가, 번개 천둥소리 폭발하고 유리창을 흔들며 때리고, 저 멀리 산 쪽으로 줄기 줄기 줄줄이 쏟아부었다.

폭포 같은 장맛비 다 보고, 듣고 놀라다가 갑자기 입맛이 돌아왔다. 다시 살아난 것이다. 장맛비가 그쳤다. 오뉴월 중 오월은 끝났고, 오늘부턴 뉴월이다. 뉴월(new 月)은 새달(new moon)이다.

새로운 달이 뜰 것이다. 보고 듣고 맛있게 먹을 수 있음을 감사한다.

장맛비 소리가 좋았다.

백두산

천문산 등정 후 만리장성을 정복하고
천안문 자금성을 거쳐 백두산으로 향했다

중국을 거쳐서 볼 수밖에 없는 안타까운 심정
변화무쌍한 민족의 영산 백두산을 오르니
세찬 비바람을 멈추고 가슴을 열어 천지를 보여 주었다

아-! 백두산! 천지!
16 개봉 장엄한 대 백두, 구천 자로 솟은 위용
일천 이백 자로 깊은 천지의 한은 무엇일까

용정으로 달려 민족시인 윤동주 시비 앞에 서니
하늘을 우러러 면목없고 한없이 부끄러웠다

'지금은 어느 곳에 거친 꿈이 깊었나'
선구자의 혼은 천하를 누르고 있는데
나는 나그네 되어 돌아갈 길 처연하구나.

꽃과 눈물

기도하는 망가진 손, 친구야 오열하지 마라
꽃잎 모아 눈물 어린 거룩한 기도로
고아(高雅)하게 피고, 잉태할 배아 창조한다

기도하며 피는 꽃
청신하고 아름답다

울긴 왜 울어

함부로 '꽃 피고 새 우는 봄날'이라
하지 마라, 제발

그 춥고 무서운 긴 겨울
밤새 숨죽여 철야 묵상기도하고

갓밝이에 겨우 응답받아
환희의 탄성 질러 노래하는데
누가 운다 하나

깜깜한 새벽 흔들어 깨우는
진동수 높은 그 맑은 고음이
어찌 울음으로 들리더냐
이 음롱(音聾)들아

새(鳥) 찬양 특송에 더 상쾌한 봄날
즐겁게 춤추고 함께 노래 부르자!

어둠 다 걷히고 밝아오는 새날에
울긴 왜 울어

큰 금계국(大金鷄菊)

목 길게 빼지 마라

장대비, 세찬 바람을
어떻게 이기려고
길게 세우나

칼춤 추는 망나니들 날뛰는 누리
허벌나게 깨지고 터지고 꺾일라
너무 곧게 쳐들지 마라

낮게 하늘거리며 어깨동무하고
오월에 갓 세수한 맨얼굴로
그저 수수한 네가 보고파

해바라기하는 상큼한 얼굴
황금빛 수줍은 너와 눈 맞추며
쉬이 다가갈 수 있게

너무 발돋움하지 마라

그도 볼 수 있을까

삭막한 겨우내 검게 타 죽은 듯
거들떠보지도 않던 고목에

화사한 벚꽃 세상 밝혀 모두가 감동하고
바람결에 함박눈 뿌려 온 하늘 덮을 때도
함께 감탄했건만

오직 한 사람은, "언제 벚꽃이 피었다 벌써
다 져 버린 것 같습니다" 했다

월화수목금금금 어두운 첫새벽에 출근하여
깜깜한 밤에 퇴근하는 사나이는
씨익 웃으면서 그렇게 뒤통수 만졌다

아직 긴 겨울 터널 속에 갇혀 있는 죄인인가,
언젠가는 빙하도 풀리면

그도 볼 수 있을까

사업에 실패하고 뒤늦게 고군분투하는 사나이가 고속으로 전무까지 올랐으나 또 회사가 잘못되었다는 희미한 소식에.

잘린 나목(裸木)

따스한 봄 향한 소망 안고
모진 칼바람 한설 견뎠는데
잔인하게 잘렸구나

그 뜨거운 여름 백일
순결하고 고귀한 충정을
반역으로 처단한 것이냐

충신 '남이'를 역모로 능지처참한
못된 왕이 재현한 것이냐

'남이'는 멸문지화 당했지만
너는 밑동이 남아 있다
다시 한번 살아 보자

오뉴월 염천에 백일홍을 피워 보자
변함없는 너의 충정 너의 청렴결백을
나는 말할 수 있다.

봄 산통(春産痛)

봄은
연분홍 치맛자락 잡고
사뿐히 오는 게 아니구나

복수초 매화 꽃망울 트니
세찬 비바람 폭설로 눌러 덮고

을씨년스러운 하늘까지
음침하고 살벌하네

동토(凍土)로 회군하는 거냐

고난과 고통 없이는
볼 수 없을까
화사하게 웃는 너를

언제쯤 따스하고 포근하게
안아 볼 수 있을까

봄아.

배롱나무 충정

어릴 적 할아버지 따라 성묘 가던 길
녹색으로 온통 짙푸른 산과 들

생기먼당 고개 올라서 보면
참새미골에 붉게 타던, 증조 산소 앞 배롱나무
매끈한 옆구리 간질이면 깔깔대며 웃었지

너만 홀로 남겨 둔 채 성묘객 다 떠나간 뒤
산그늘이 내리고 가을 지나 겨울이 오면
삭풍은 또 얼마나 울리며 때렸을까

그 어린 소년, 할아버지 되어 왔으니
너도 거목 되어 아름답구나

부귀영화 찾아 기웃거리지 않고
모진 세파 견뎌 내며 꿋꿋이 서
지키고 있었구나

반세기 지나도록 변함없이 붉은 충성
어찌 잊겠느냐 일편단심 백일홍아

눈물 꽃 일생

황금색 꽃잎 위에
청초하고 싱그러운
황금빛 이슬방울

구중궁궐 고이 간직했던
성은은 영영 멀어져
잊힌 꽃이여

안 오는 임 그리다가
알알이 눈물방울
한이 되어 서렸나

해 뜨면 눈물 지우고
목 빼며 기다리다
해지면 또 눈물 글썽

오늘도 안 오시나
오매불망 능소화

애간장 다 태우다
목 떨구고 죽었네.

봄은 이런 건가요

모진 겨울을 버텨낸 것도
봄이 오리란 희망 때문이었지

그러나 봄은 고이 오지 않고
꽃이 피고 싹이 움트면
혹독한 꽃샘추위 폭설로 덮고

황사, 미세먼지 눈코 뜰 새 없이 해살 놓고
가뭄에, 산불로 다 불사르고 세찬 비바람까지
막 피워 낸 꽃을 작살냈더냐

설중매화 버들강아지 일찍 깨어 갈망하던 봄은
개나리 진달래 벚꽃이며 연둣빛 새순에 넋을 잃고

장미가 붉게 탈 즈음 모든 시련 망각한 채
가슴 저린 듯 감동하고 또 감탄할 것이다

올해도 봄은 그렇게
민초를 농락할 것인가

진정 봄은 이런 건가요

백일홍 나목(裸木)

본래 옷 한 벌 없었는지 누명 쓰고 쫓겨난 건지
벗긴 채 알몸만 남았구나

삭풍이 네 뼛속을 울리고 모진 음풍 북풍한설에도
춥다고 아프다고 쓰리다고 말 한마디 없었구나

청렴결백을 꼭 그렇게 증명해야 하는지 차마
그냥 볼 수 없었는데

오늘은 마침 겨울비가 쏟아붓는구나
너의 언 몸을 녹이려나 보다

그러나 방심하지 마라 기필코
매서운 칼바람 휘두르면 내공으로 버텨야 한다

백일홍 붉게 타는 그날
눈물겨운 너의 충정에 감격하는 그날까지

너를 위해 기도할게

장미꽃에 피는 추억

찔레순 감꽃도 먹어 보고
그 향에 친숙하던 산골 아이

학교를 다니면서 처음 본
옆 동네 담장에 핀 장미꽃 덤불

온몸에 떨림이 일어
붉은 꽃향기에 매료되고

오면 가면 쳐다본 담장 너머
누나뻘 되는 그 집 소녀는
지금도 얼굴이 고울까

세월이 흘러도 장미는
지금도 청순하고 황홀한데

붉게 타는 장미꽃 덤불 볼 때마다
나는 초등학교 일 학년

그때 그 소년이 된다.

봄 편지

정겨운 손 편지를 생각하면 가슴이 울렁이고
희미해진 기억 속에도 정은 깊숙이 배여 남는다

많은 사람과 계층이 서로 마음을 주고받았고
유배 중일 때는 더 절절하게 심중을 전했을 것이다

추사는 '세한도(歲寒圖)'와 '장무상망'의 정을 새겨 오랫동안 잊지 말자 했고,
다산은 자제들에게 참 인간이 되는 길과 자상한 가르침을 세세하게 일러주었다

'이화에 월백하고… 다정도 병인 양하여 잠 못 들어 했던' 고려 충신 이조년은
어느 임에게 정을 주고 배꽃 핀 달밤에 홀로 춘정을 삭이지 못했을까?

수많은 선비가 감정을 추스르지 못해 시로, 시조로,
붓으로 쓰고, 읊고 내질렀다.

송백(松柏)의 절개와 기상은 설중(雪中)의 표상이 되었으나
배꽃과 복사꽃 만발한 오늘은 연애편지를 받은 듯 가슴 설렌다.

메마른 가슴에 내리는 단비처럼, 봄소식 전하는 전령들은 춘심(春心)을 적시는 봄 편지다.

봄의 향기에 취해 빠져 온몸으로 읽어 본다.

염천의 풍속도

문득 여름판 '출문간월도'*가 하늘에 떴다

옛날 그때는 바야흐로 늦가을
오동나무 누런 잎사귀 소슬바람 시렸겠지만

연일 폭염 열대야 지속되는 오늘
게으른 하현달 하품하며 중천에 누워 뒹굴다가

배롱나무 첫 가지 백일홍에 걸려, 내게도 들켰으니
어찌 놀라지 않고 웃음을 참을 수 있겠는가

오동잎 하나 떨어져 천하에 가을이 온 것 느낄 때면
가지 끝에 걸린 달을 쳐다보며 '월하독작'도 불사할 텐데

염천에 떠오른 풍속도 한 폭에도 착각하여
잠깐 더위마저 잊게 하는구나

---

* 출문간월도(出門看月圖: 긍재 김득신)

一犬吠 二犬吠 萬犬從此一犬吠 呼童 出門看 月掛 梧桐 第一枝
(일견패 이견패 만견종차일견패 호동 출문간 월괘 오동 제일지:
한 마리 개가 짖자 두 마리 개가 따라 짖고 온 동네 개가 따라 짖네
아이 불러 문밖에 나가 보라 했더니 달이 오동나무 높은 가지에 걸려
있어요 하네)

봄날에 젖는 눈물

마른 겨울 긴 가뭄에 눈물 한 점 없이 매몰차게
축구장 삼만 개를 태워 먹었다

어린 시절 따먹던 참꽃 생각에 그 산골 소녀 못 잊어
진달래만 보고도 눈물 나고
돌아가는 삼각지 배호 노래 전주곡만 흘러도 서럽다

분단된 조국을 원망하랴 백석을 그리고 기다리며
오매불망 가슴속 타고 흐르는 굵고 짠한 눈물

"천억 재산이 백석*의 시(詩) 한 줄만 못해!"
길상사 통째 시주하고 홀연히 떠나 버린 숭고한 사랑 자야*

아! 이 봄날, 봄비마저 눈물 되어 뫼와 들을 적시는구나
스치우는 봄바람, 그토록 섧게 울지 마라

메마른 대지 적시는 생명의 원천수

축복의 눈물이어라

---

* 백석: 백기행 〈잊어졌던 민족 시인〉(문학가, 자야의 영원한 애인)
* 자야: 김영한 〈대원각 주인〉(백석의 영원한 애인)

시 한 편 다시 읽기

잠시 쉬어가기

어느 시인이 말했나요

'가난하고 외롭고 높고 쓸쓸한 시인'

백석의 시를 다시 읽습니다.

겨울에 읽으면 너무 춥고,

가슴 떨릴 것 같아 무더운 말복에.

하지만 건강을 위해 보양식은

감사하게 드시면 좋겠습니다.

쫓기달래

백석

오월이는 작은 종 그 엄마는 큰 종
사나운 주인이 마소처럼 부리는
오월이는 작은 종 엄마는 큰 종.

하루는 그 엄마 먼 곳으로 일을 가
해가 져도 안 왔네 밤이 돼도 안 왔네.

오월이는 추워서 엄마 찾아 울었네.
오월이는 배고파 엄마 찾아 울었네.

배고프고 추워서 울던 오월이 주인집 부엌으로 몸 녹이러 갔네.
부엌에는 부뚜막에 쉬찰밥 한 양푼 주인네 먹다 남은 쉬찰밥 한 양푼.

오월이는 어린아이 한종일 굶은 아이,
쉬찰밥 한 덩이 입으로 가져갔네.

이때에 주인마님 새 문 벌컥 열었네.
밥 한 덩이 입에 문 오월이를 보았네.

한 덩이 찰밥을 입에 문 채로
오월이는 매 맞았네 매 맞고 쫓겨났네.

춥디추운 밖으로 쫓겨난 오월이
캄캄한 어둔 밤에 엄마 찾아 울었네.

행길로 우물 가로 엄마 찾아 울다가
앞터 밭 밭고랑에 얼어붙고 말았네.

주인집 쉬밥 덩이 먹지도 못하고
어린 종 오월이는 얼어 죽고 말았네.
엄마도 못 보고 얼어 죽고 말았네.

그 이듬해 이른 봄 얼었던 땅 풀리자
오월이가 얼어 죽은 앞 터 밭고랑에
남 먼저 머리 들고 달래 한 알 나왔네.

이 달래 어떤 달래 곱디고운 붉은 달래,
다른 달래 다 흰데 이 달래 붉은 달래,
쉬 찰밥이 붉듯이 이 달래 붉은 달래.

쉬 찰밥 한 덩이로 얼어 죽은 오월이,
원통하고 슬퍼서 달래 되어 나왔네,
쉬찰밥이 아니 잊혀 쉬찰밥빛 그대로,

엄마가 보고 싶어 이른 봄에 나왔네.

사나운 주인에게 쫓겨나 죽은 불쌍한 오월이가 죽어서 된 이 달래,

세상 사람 이름 지어 쫓기 달래.

이 달래 가엾어서 이 달래 애처로워 세상에선 이 달래를

차마 못 먹네.

---

* 백석, 백기행(白夔行): 1912~1996.

주변도 돌아보고 건강한 여름 되시길 기원합니다. 2021.8.10.

이월이

늘 그랬듯이, 너는 몇 날 모자랐지
늘 그랬듯이, 너는 헐벗었고 메마르고 추웠다

알고 있다. 뒤에 오는 삼월이를 위해 희생하고 헌신한다는 걸
네가 숨죽여 챙긴 덕에 삼일운동이 빛을 보았고
민족의 희망을 되찾았지

삼월이 사월이가 화사하게 꽃피우라고 이월이는 없는 듯 겸손했지
그렇게도 헐뜯고 속이고 난도질하는 몹쓸 정치꾼들 종교꾼들
언론꾼들 무슨 카르텔 패거리며 희한한 교수꾼들까지

모리배'꾼'들은 적반하장 지록위마의 현대판이라
파리떼보다 더 추하구나

늘 그랬듯이, 너는 모자란 듯했지만 유능했다
삼월은 웃을 수 있게 네가 좀 더 챙겨 주고 가거라

그렇고 그런 자들까지 다 용서하고 화합하여 미래로 나아가도록.

그럼 이월아 잘 가!

새해에 소망하는 사랑

내일이 소한(小寒)인데 동물을 학대하는 장면은
소한 추위보다 더 시리고 가슴 아프다

가장 많이 팔리고 가장 많이 본다는 책
'성경'의 주된 깨우침도 '사랑'이 아닐까

"사랑은 오래 참고 온유하며 시기하지 아니하며…
그중에서 제일은 사랑이라"라고 하는데도
사람이 못할 짓을 많이 하고 있다

조류독감이 들었다고 수억 마리를 생매장하고
돼지나 소도 그렇게 처분한다
오래된 법이 그렇다면 몹쓸 법이고 잔악한 행위다

생명이 끊어지는 시간에 얼마나 발악을 하고 인간을 저주할까
그 속에 있는 바이러스도 얼마나 초능력을 발휘하며 발악을 할까
거룩한 땅을 오염시키며 죄책감도 없이 조물주를 비웃는 것이다

지진으로 쓰나미로 폭풍으로 경고를 해도 뻔뻔하고 교만한 인간들
입만 열면 남 핑계를 대며 악함과 불의를 기뻐하는 인간들

역병이 두 해를 넘기며 전 세계를 가르치고 있는데도
회개하지 못하는 자들아 신이 만든 본연의 사람으로 돌아가자

사랑이 넘치는 낙원이 있다. 새해 모든 분의 축복을 기원합니다.

빙판 위에 개를 묶어 놓아, 얼음 녹으면 수장될 텐데. 발버둥 치는 개를 보며.

텃밭 삼총사의 충정

고추, 가지, 호박 3주(株) 씩 작은 모종만 심어 놓고
백 개도 넘게 따 먹은 것 같은데
또 가 보면 수많은 열매로 보답한다

좌고우면 없이 오로지 일편단심으로 만들고 키워
가지는 팔뚝보다 크게 달고 있고,

호박도 3일만 지나면 몰라보게 덩치를 자랑하며
충직한 행동으로 보여준다

그렇게 훌륭한 작품을 쏟아 내는 것은 놀라게도 하고 신나게 만든다
정치판의 파리 떼와는 다르다.

대선판에서 남 헐뜯기만 해대는 파렴치한 자들을 보면
무용지용(無用之用)*을 웅변하러 출마한 자들인 모양인데
그중에는 훌륭한 분도 있을 것이라 본다.

가을비 내리는 10월의 한가운데서 주말인데도 텃밭에 못 가는 심경
조만간 결단의 시간이 잔인하게 엄습할 것이다.

끝내 뽑힌다 하더라도 삼총사는 야멸차다 하지 마라 계절의 숙명이다.
너희들은 훌륭했다. 감사하고 또 고맙다.

---

* 무용지용: 쓸모없는 것이 오히려 요긴하게 쓰임.

능소화의 한(恨)

아리따운 궁녀 소화, 성은 입어 빈(嬪)이 되고
긴 세월 기다리다 지쳐 꽃으로 환생했나

붉은 듯 누른 듯 속은 노랗게 멍들고
그 황금빛 속을 찾아 큰 왕벌 꿀 찾으니
너의 품위 고상하구나. 그래서 어사화, 양반 꽃인가

담장 위 하늘에서 목 길게 빼 기다리다
통째로 떨어지는 지조, 임 향한 일편단심인가

칠월에 지고 못 볼 줄 알았는데
찜통 같은 팔월에도 세수한 얼굴로 밝게 맞고 있구나

세상은 너를 '명예'라 '영광'이라 하지만
너는 정녕 오매불망 기다림이고 그리움인가

오늘은 오시려나 기다림에 목 빠지고
오늘도 아니 오시나 기다리다 목 떨구며
능소화의 한(恨)은 꿈이 되어 핀다.

2021.8.21.

봄꽃과 상념

3월도 잔인한 달인가. 미세먼지 '보통'인 줄 알고 나왔더니 '매우 나쁨'인 경우가 많았다. 정치권의 초미세먼지 때문이었을까.

3월은, 숭고하고 거룩한 독립운동을 하다가 잔인하게 처형되고 고통을 받은 달이자, 악랄한 독재자가 3 · 15부정선거를 자행하여 장기집권을 하고자 수많은 시민들을 짓밟고 살해한 잔인한 역사를 가진 달이다.

반민특위를 짓뭉개고 와해하여 악랄한 친일 반민족 인사와 언론의 청산을 무산시키고 시민들은 오히려 그들 치하에서 또 다른 고통과 비애를 겪어야 했다.

최근에는, 회개하고 자숙하고 있는 줄 알았던 교활한 바퀴벌레들이 나와 연일 초미세먼지를 뿜어댄다.

바퀴벌레란 명칭을 명명한 자는 하필, 외제 음료수에 자기의 '성'까지 걸어 놓고 취해 있어, 대책이 무엇인지 물어볼 수도 없다.

정직하고 존경받는 정치인과 공직자가 더 많으므로 일부 정치꾼에 대한 독설은 그만하고, 봄꽃 구경도 좀 해야겠다.
불시일번한철골(不時一番 寒徹骨) 쟁득매화박비향(爭得梅花 撲鼻香)이라, 매화향이 코끝을 찌르는 줄만 알았는데, 벌써 목련이 지고, 벚꽃이 만개하여 아름다움이 절정이다. 나무에 핀 꽃에만 현혹되어, 발밑에 있는 풀꽃을 짓밟지는 않는지 한 번 더 보고 가자.

내일, 4월부터는 온유와 절제로 양보하고 배려하며, 모두가 사랑이 넘치는 축복을 받았으면 좋겠다.

2019.3.31

청자연적(靑瓷硯滴)이다

쉬어가기: 피천득 선생을 기리며

난(蘭)이요,
학(鶴)이요,
청초(淸楚) 하고 몸맵시 날렵한 여인이다.

그 여인(女人)이 걸어가는
숲속으로 난
평탄하고 고요한 길이다.

가로수 늘어진
페이브먼트가 될 수도 있다.

그러나
그 길은 깨끗하고
사람이 적게 다니는
주택가에 있다.

청춘의 것은 아니요
서른여섯 살

중년 고개를 넘어선 사람의 것이며,
마음의 산책이다.

색깔은 황홀하거나 진하지 아니하며,
검거나 희지 않고

퇴락하여 추하지 않고,
언제나 온아우미(溫雅優美)하다.

찬란하지 않고 우아(優雅) 하며,
날카롭지 않으나 산뜻한 것이다.

독백이다.

극작가 셰익스피어는
햄릿도 되고 폴로니아스 노릇도 한다.

그러나 수필가 램은
언제나 찰스 램이면 되는 것이다.

줄이면서… 또, 주어까지 생략했습니다. 발췌하는 무례를 범했습니다. 오월에 태어나, 오월을 노래하고, 오월에 떠난 琴兒 皮千得 선생을 기리며, 임의 영롱한 진줏빛 글귀와 울림이 훼손되지 않았으면 좋겠습니다. 기화요초가 만발하며, 싱그러운 청매실도 영글어 가고 장미가 붉게 타는 오월 열하루 오후에. 잠시 쉬어 가시라고.
2019.5.11.

김장밭과 딱새

대설(大雪)이자 주말이라 김장한다고 무 배추 갓이 없어진 자리가 허전하다
브로콜리 등이 아직 남아 있는데도 왠지 황량하고

철 모르게 피우다 된서리 맞은 사과꽃이며, 웃자란 과일나무를 자르고 있는데
딱새란 녀석은 나뭇가지마다 옮겨 다니며 뭐라고 재잘거린다

왜 채소를 다 없애고, 나무를 왜 자르느냐고 딱딱거리다가
그래도 얼굴은 자주 보자고 짹짹거린다

올 때마다 반가운지 그물망 사이로 들락거리면서 폴딱대는데
땅콩이라도 가져온다는 게 또 잊고 왔고

홍시라도 안 따고 남겨 둘걸 하는 생각도 있지만
아마 큰 새가 가로채 먹지도 못했을 거라고 둘러대 본다

이 영하의 날씨에 보금자리는 따뜻하게 잘 마련해 놓았는지
차가운 눈비에 젖어 얼지는 않을는지

동짓달 긴긴밤을 어떻게 넘기며, 소한과 대한 추위를

저 작은 녀석이 어떻게 견딜 것인지

측은한 마음 무겁다

2019.12.8.

먼저 핀 꽃

코로나에도 겁 없이, 방방곡곡 화사하고 상큼하게 눈부신 자태를 숨기지 않던 벚꽃! 미루고 미루다 오랜만에 밭으로 갔더니 염려했던 대로 아쉬움은 곧 현실로 나타났다. 거리의 벚꽃은 이미 화려한 빛을 잃고 흩날리고 있었고, 더 아쉬운 건 앵두꽃이다.

작년에 붉고 영롱한 앵두를 맛보고, 올해는 꽃 필 때 올 것이라 했는데, 꽃이 질 무렵에 왔으니 안타까웠다. 나처럼 늦게 온 꿀벌 한 마리가 이 꽃 저 꽃에 머리를 들이밀며 분주할 뿐이다.

소싯적의 글이 대뜸 생각났다. '복구자 비필고 개선자 사독조(伏久者飛必高 開先者 謝獨早: 오래 엎드린 새는 반드시 높이 날고, 먼저 핀 꽃은 〈홀로〉 일찍 시든다).' 일찍 진 꽃은 내년 봄에 다시 피련마는, 코로나로 잃은 봄은 언제 다시 찾을 것인가.

그러나 배꽃이 만발하고, 복사꽃도 볼 수 있어 다소 위안이 되었다. 특히 돌 복숭아꽃이 덩치를 자랑하며, '나야 나' 하고 버티고 서서 맞는 모습에, 우울했던 내 마음도 화사하게 밝아졌다. 그들은 두 손 모아 기도하며 '다 계획이 있었고', 나만 '노 플랜'이었던 것인가. 식목일에 나무는 못 심어도 과수에 거름 주고 손질하는 것으로 만족했다.

코로나는 코리아를 이길 수 없을 거라 믿지만, 전 세계가 혹독한 시련을 겪고 있는 상황이 길어진다면, 많은 게 달라질 것이다. 이럴 때 머리 좋은 코리안이 단방약을 만들어 판다면, 인류를 구하고, 떼돈도 벌 텐데… 협력하고 합력하여 코로나를 '謝獨早(사독조)'시켜야 할 것이다.

모든 분들의 건강과 축복을 기원한다.

2020.4.5.

봄비는 눈물인가

주말이 되어 버린 금요일
봄비 내리는 철길 옆 도로변은 호젓하다

연둣빛 잎새들 녹색으로 짙어지고
분홍, 하양, 붉은색을 입은 꽃들이
청아한 모습을 발산하고 있다

라디오를 끄고 대중가요를 켰다
'마포종점'이 흘러나온다

'저 멀리 당인리에 발전소도 잠든 밤'
'여의도 비행장엔 불빛만 쓸쓸한데'
'궂은 비 내리는 종점 마포는 서글퍼라'

가슴 적시는 곡조에 코끝이 찡하다.
빗물이 흐르고 눈물도 어린다.

여의도 비행장, 당인리 발전소는 어떻게 됐을까
갈 곳 없는 마포종점 우산 쓰고 기다리던
그 여인은 어디로 갔을까…

봄비는 눈물인가

봄비는 시(詩)다

오월이다

박목월 시인이 '송화(松花) 가루 날리는 외딴 봉우리'에서
'윤사월 해 길다 꾀꼬리 운다'고 했던 그 윤사월이 오월의 후반에 붙어 있다.

보릿고개에 초근목피도 메말라 꾀꼬리는 그렇게 울었을까.
어쨌든 오랜만에 코로나 발생 0명이 되었단다.

종달새는 새장 안에 갇혀 있는 조롱(鳥籠) 새를 원치 않는다.
푸른 숲, 청보리밭을 보며 푸른 하늘 높이 날고 싶을 것이다.

주말 농부도 조금 분주해질 것이다. 오늘은 고추, 가지, 참외 물외 지지대도 세워 주고,
호박 모종 옮기고 마늘종도 뽑아내고, 내일은 고구마 순만 심어 주면 오월은 순조롭게 될 조짐이다.

청매실, 복숭아 열매도 커 가고, 짙어 가는 감 이파리 옆에는 감꽃들이 얼굴 내밀 것이다. 신록이 짙어지며 모란과 장미, 아까시 꽃의 향기에 취할 것이다.

비가 내리더라도 바람이 불고 송홧가루 흩날리더라도 밝고 맑고 따스한 햇살이 고울 때에도 '금방 찬물에 세수한 스물한 살 청신한 얼굴' 그 오월에 감사할 것이다.

오늘은 그 첫날이다.

2020.5.1.

윤사월(閏四月) 생각

어릴 적 할머니로부터 들은 말 윤사월. '윤사월'은 할머니들의 말인 줄 알았다. 커서는 목월 시인으로부터 들었다. '윤사월 해 길다 꾀꼬리 울면…'

윤오월도 있었고 윤구월도 있었는데 하필 윤사월에 정감(情感)이 더 있을까. 얼었던 겨울이 끝나고 초봄도 끝나고 늦봄의 낭만과 초여름의 푸르름 때문일까.

봄을 한 달 더 산다는 계산 때문일까. 보내기 아쉬운 봄과 여름의 그 싱그러움을 다 갖고 싶어서일까…. 청보리는 황보리 되어 타작한다. 껄끄러워도 즐겁고, 갱빈에 작답 자갈논에 모내기를 마치니 부자 된 듯하고, 안개 자욱한 참새미 골엔 꿩이 크게 두 번 울고 푸득푸득 날아가고.

뻐꾸기 새벽에 울었는데 낮에도 간간이 여유롭게 울어대면, 찔레꽃 순결한 향도 열매 속에 갈무리될 것이고, 붉게 타는 장미도 짙어지는 잎새에 떠날 채비하고, 코를 찌르는 아카시아 꽃향기도, 꿀만 다 퍼주고 미련 없이 사라질 것이다.

청매실도 영글고, 감꽃이 져도 감 알은 퍼렇게 굵어질 것이다. 아이들은 까맣게 그을려도 눈망울 초롱초롱, 똘망똘망 웃고 또 뛰놀고. 지나고 보면 낭만이었던 시골 풍경 때문일까.

그러나 무엇보다 할머니가 먼저 생각나는 윤사월이다. 그 윤사월이 왔다. 오늘은 그 첫날이고. 모든 분께 축복의 윤사월 되길 소망한다.

2020.5.23.

잡초(雜草)

요즘 같은 여름철 오랜만에 밭에 나가 보면, 작물은 안 보이고 잡초만 무성하다. 땀 좀 흘리며 잡초를 뽑고 나면 작물도 제 모습을 드러내, 보기에도 시원하다. 언제나 그랬듯이 작물은 애지중지하지만 잡초는 증오하며 발본색원코자 특단의 노력을 쏟는다. 잡초란 무엇이며 그들은 왜 잡초가 되었을까.

애초에 잡초라는 풀이름이 있는 것도 아닌데 그들은 잡초라 불린다. 망초, 개망초, 구절초 등등으로 이름이 있는데도 나 같은 촌놈은 통틀어 '들국화'라 칭해 버리듯이. 들국화는 본래 향기가 그윽하고, 색깔이 고와 싱그럽고 청초한 꽃인데도, 밭에 솟아올라 키 자랑들을 하고 있으면 얄밉고 꼴 보기 싫은 것이다.

그런데 잡초는 해악만 끼치는 게 아니고 대부분 훌륭한 '약초'다. 하찮게 보는 '쇠비름'조차도 오행초(五行草), 마치현(馬齒莧)이라 하여 오메가3(필수지방산) 함유, 임질, 악창, 종기 치료와 도파민(벌레, 뱀 해독제), 이뇨제가 되고, 먹으면 오래 산다고 하여 장명채(長命菜)라고까지 한다니, 누가 잡초라 할 것인가.

하기야 밀밭의 '보리'가 잡초라면, 보리밭의 '밀'도 잡초다. 도라지밭의 '더덕'도 잡초라고 뽑아 버릴까. 솔밭의 50년 된 '산삼'도 잡초라고 뽑아 내팽개치진 않을 것이다. '약초인가 보약인가, 지금까지 이런 잡초는 없었다!'라고 광고할 날이 올지도 모르고, 코로나19를 잡고 인류를 구할 물질을 가진 잡초가 있을지도 모른다.

끈질긴 생명력과 도전정신으로 그들은 '이미 계획이 다 있었고.' 또한 '무계획이 최고의 계획'이라고도 가르쳐 주면서, 언제 어디서도 번식하며 살아갈 지혜와 능력을 가지고 있는 것이다.

오늘처럼 장대비가 오든지, 천둥번개, 벼락이 치더라도, 누구를 비방하거나 환경을 탓하지 않는다. 거칠고 사나운 세상을 살려면 겸손하게 머리 숙여 배워야 할 것이다. 강인하고 정직하고 성실한 영웅의 이름, 잡초.

2020.7.29.

사랑을 생각하는 구월

구월(九月)이 오는 소리…♪ 사랑이 오는 소리…♬
그 구월이 벌써 왔다. 사랑이 없어도 인류가 존속할까.

"(광대한) 우주를 단 하나의 사람으로 줄이고, 그 사람을 신(神)에 이르기까지 확대하는 것이 바로 '사랑'이다"라고 어느 문호가 정의했던가.

그러나 그런 사랑과는 많이 다른 사랑도 있는 것 같다. 대중가요, 시나 소설에서도 사랑은 넘친다. '풋사랑'부터 '진한 사랑'이나 '사랑의 배신자'까지도 노래하고, 모든 종교도 사랑이 내재되어 있겠지만, 유별나게 (교회) 이름에 '사랑'이 들어가는 교회들이 많은 것 같다.

성경에 '사랑'이라는 단어가 많이 나오고, 고린도서에서도 '그중에 제일은 사랑이라'는 글을 보았기 때문일까. 그들은 '사랑을 알고 있을까'(하는 생각이) 평소 궁금하던 차에 광복절이 지나고, 팔월도 지나니 조금은 알게 된 것 같다. 붕어빵에 붕어가 없듯이, '사랑ㅇㅇ교회'에는 '사랑'이 없을 것임을.

붕어빵이야 배고픈 이에게 소중한 영양 보충이 되겠지만, 교회 간판에 붙어 있는 그 '사랑'은 아무 영양가도 없고, 배고픔도 달랠 수 있는 것도 아닌 듯하다.

'네 이웃을 사랑하라' 했을 텐데, 이웃을 겁박하고, '간음하지 말라' 했을 텐데, 빤쓰를 벗어 믿음을 보이라 하고, '살인하지 말라' 했을 텐데,

코로나를 전파해 살인의 개연성을 높이고 위협하며, 많은 사람들의 생업을 방해하여 경제적 파탄과 빈곤의 고통을 주고, 주변과 이웃에 엄청난 피해를 주고 있다.

국민의 건강을 위하여 불철주야 애쓰는 분들에게 폭언과 협박을 일삼고, 네 하나님 여호와를 망령되이 부르지 말라 했을 텐데도 '하나님 너 까불면 죽어!'라고 망언을 내뱉었다는 자가 목자일까 사탄일까.

그들이 말하는 그 사랑은 蛇狼(사랑)일까 邪蜋(사랑)일까. 혹세무민하고, 국민들에게 엄청난 피해와 충격을 안긴 행위는 무엇으로도 응분의 처벌은 부족할 듯하다.

인류를 괴롭히며 패악을 자행하는 자들은 종교의 탈을 쓰게 해서는 안 될 것이다. 인간이 자초한 대재앙이 현실로 나타나는 상황 앞에서, 인간의 탈을 쓴 마귀는 신속하게 격리해야만 선량한 서민들의 삶을 보호할 수 있을 것이다.

'빅토르 위고'는 또 '인생은 꽃이고, 사랑은 그 꽃의 꿀'이라 했다.

초하루인 오늘부터는 좋은 뉴스가 많아지고, 날마다 사랑이 충만한 가정과 사회가 되길 소망한다.

2020.9.1.

늘 그렇게 봄은 온다

매화 향기 코끝 찌른다고 봄 온 줄 알았더냐
개구리 거위처럼 떼창하면 봄이 다 온 줄 알았더냐

폭풍 광풍 휘몰아 때리며 순식간에 빙하로 원산폭격
흰 눈덩이까지 들이붓고 무참히 깔아뭉갠다

한여름 우박도 수틀리면 주먹만 한 얼음 갈겨 박살 내는데
까짓 봄이야 움트고 봉오리 맺다 몇 방이고 얻어터질 것이다

노랑나비 짝을 지어 나풀나풀 올 줄만 알았더냐
중늙은이 몇이나 얼어 죽고 다 죽은 이 몇이나 깨어나도
모질다 꽃샘추위, 춘한(春恨)도 설워 우네

그래도 벚꽃은 순백의 이파리를 다 피워 보아야 하리.
은하수만큼 될지 아브라함 자손보다 혹 많을지

버들강아지 움트고 달래 냉이 배릿한 향 유혹할 때
나물 캐는 대바구니 끼고, 설레는 산골 소녀 봉긋한 가슴에도

따스한 햇살 다정하게 속닥이며 어느새 다가온 그녀
연분홍 치맛자락 잡고 살포시 미소 지으며 몰래

늘 그렇게 봄은 온다.

자원봉사(自願奉仕)

꽃이 세상을 아름답게 합니다
더 아름다운 사람들이 있습니다

자원봉사하는 사람들이 있습니다
어린이부터 연로한 어르신들까지
그들은 꽃보다 더 아름답습니다

삶의 보람과 자기 성장을 체험하고 있는 사람들
2050년엔 거주할 수 없는 지구,
그것을 건져 올리고 살기 좋고 아름다운 지구로
만들어 낼 것입니다

그들은 힌남노 태풍 피해 복구 봉사를 아쉬워한 채
추석을 맞아 행복 나눔도 실천했습니다.

기쁨과 웃음을 전달했습니다.
지구 한쪽이 환해졌습니다.

---

* 2050 거주 불능 지구: 웰즈의 리포트, The Uninhabitable Earth(2017.7.9)

청남대(靑南臺) 구상

'따뜻한 남쪽의 청와대'라는 청남대를 둘러보았다.
전두환부터 노무현 대통령까지, 다섯 분 대통령 전용 별장으로 이용했던 곳.

1983년 준공 후 1급 경호 시설로 베일에 싸인 채 사용하다가, 2003년 4월 18일 노무현 대통령이 개방했다. 그중 '대통령 기념관'은 청와대 본관의 60% 크기이고, 지난달(2022년 4월 11일)에 '대한민국 임시정부 기념관'도 준공을 했다.

시절이 하 수상하고, 4월 말을 보내기가 뒤숭숭하여 무작정 나섰다. 총면적이 55만 평을 넘고, '내륙의 다도해'라는 대청호* 호반을 따라 아름다운 풍경도 펼쳐졌다.

야생동물인 멧돼지, 고라니, 너구리, 꿩, 토끼, 날다람쥐, 수달, 두루미 등이 서식하고, 야생화 등이 볼 만하여, 봄에는 '영춘제' 가을에는 '국화축제' 사계(四季)에 따라 바뀌는 환상적인 자연경관에 매료될 만하다.

사실 지금도 말 많은 청와대, '천하제일터'라고 말뚝까지 박아 놓은 곳인데 풍수마다 한마디씩 하며 씹는다.

'본관 자리가 잘못됐다, 녹지원 자리에 본관을 지어야 최고의 자리가 된다'는 등등의 말들이 있는데, 정답이 있기나 할까. 사람의 마음과 자세가 중요하지 터를 평하는 게 옳은 것인가.

어쨌든 세종로 1번지 '청와대'는 1997년도에 본 후, 이후 4 반세기가 흘렀고, 하나 남은 '전용 별장'이던 곳에서 잠시 청남대의 주인이 된 양, 대통령의 하루를 경험해 보는 것도 괜찮을 듯싶어서였다.

대통령의 온기가 담겨 있는 본관, 별관, 대통령 기념관, 오각정, 골프장, 양어장, 초가정, 하늘 정원, 음악 분수, 산책길(14km)이 있고, '행복의 645 계단'을 올라 청남대 비경을 한눈에 볼 수 있다.

'청남대 구상' 후에 '역사적 결단'을 한 그분들처럼,
'청남대 구상'을 하루에 끝내고, '역사적 결단'을 할 시점이다.

---

* 대청호: 인공호수, 면적 72.8㎢. 길이 86km, 저수량 14억 9,000만 톤.

봄이 오는 소리

눈을 감으면 들린다
웅웅거리며 떠나가는 소리

보인다 사뿐사뿐 다가오는 발걸음

가는 동(冬) 장군 미적대고 오는 봄(春) 낭자 서성댔더냐
봄아! 너의 숨결은 큰 파도처럼 오는 게 아니었구나

찬란하게 으스대지도 않고
보일 듯 말 듯 잔잔하게 일다가

온갖 헤살 방해 공작 견디고 삭이며
폭설, 얼음에도 깔려 숨죽이고 묵언 수행으로
두 손 모아 기도하는 손 끝내 포기하지 않고

계곡의 물소리 나지막한 속삭임에 떨쳐 일어나
움트는 용기, 꽃망울 터뜨리는 함성

들린다 눈을 감으면
조르르 물오르는 소리

봄비 앞세우고 생명수 적시며
봄이 오는 소리.

어린이 생각

어린이는 스승이다.

맑은 눈동자 해맑은 웃음
천진한 손동작 발놀림이
다 순수한 가르침이다.

아브라함 믿음의 산물,
솔로몬의 지혜가
너로부터 비롯되었구나.

어린이는 사랑이다.

정직하고 온유하며
세상의 모든 사랑을 다 품고
귀엽고 순진한 천사다.

어린이는 우주다.

너를 닮지 않고는 결단코
천국에 들어갈 수 없다고 했으니
최고의 진리, 지고지순의 지혜가
너 우수 속에 있었구나.

어린이는 보배다.

찔레꽃 눈물

장미꽃 귀하던 시절

논 모퉁이 밭둑 길섶에도
지천으로 흔하던 서민의 꽃
찔레꽃.

나라를 잃었던 시절

이역만리, 북간도에서도
네가 그립던 선구자

노래까지 지어 부르며
설움을 삭여야 했던 찔레꽃.

너의 희고 순결한 꽃

눈물이 날 듯한 그 꽃에
여름비 같은 봄비가 내린다.

너의 눈물도
나의 눈물도
그 비에 섞어 쏟아 버리자

더욱 순결해지게.

백신에 빼앗긴 유월

지리산 천왕봉에도 잘 올랐고
입맛도 좋고 건강했던 사람
AZ 백신 맞고 3일간 고열이 있었고 밥맛까지 잃었다.

콩팥에 이상 징후 있어 입원하라는 의사의 권유에도,
할 일 있어 통원치료하겠다고 약 타 온 그날 오후,

대학병원 응급실 중환자로 돌변하여 신우신염 환자 되고.
다음 날 듣도 보도 못한 '섬망' 증세까지 나타나자
간병하는 사람까지 환자가 된 듯 오로지 환자만의 세상이 되어 버렸다.

'환자의, 환자에 의한, 환자를 위한' 생각과 말과 행동만 요구될 뿐,
웃음과 자유와 평화는 없었다.

온갖 검사를 반복하며 우여곡절 퇴원하여 MRI 정밀검사를 받고
건강이 얼마나 소중하고 중한 것인지를 깨닫는 유월 말일.

많은 것을 잃어버렸으나 유월(踰月)과 함께 유월(逾越)하여 지나가고.
새로운 내일 7월에는 짙푸른 녹음 속에 몸과 마음의 건강을
회복하길 기도한다.

2021.6.30.

홀로 핀 장미

너였구나! 오뉴월에도 서리가 내린다 했는데
무슨 한이 많아 이 뜨거운 햇볕 아래 붉은 피를 토하고 있나

너는 필시, 마리 앙투아네트!
누명을 쓰고 단두대 이슬로 사라졌지

민주혁명의 명분을 조작할 때 희생 제물로 지목된 너는
사치 방탕한 왕비였더냐 적과 내통한 역적이었더냐

아니라, 너는 나라를 위해 열네 살에 팔려간 공주가 아니었더냐
지켜주지도 못하는 어리석은 왕을 만나 청춘을 바쳤더냐
변명도 한번 해 보지 그랬냐 넋두리도 한번 해 보지 그랬냐

뜨거운 태양 아래 너의 진실을 밝히려고 홀로 피었구나
아무도 너의 진실을 말하지 않았지만 이제는 말해도 돼

태양도 더 뜨겁게 비추고, 붉게 증명할 것이다 너의 결백을.

너는 필시, 베르사유 장미!
마지막까지 의연한 태도 기품 있는 위엄을 보여준 너였구나!

일난풍화(日暖風和)만 찾겠느냐 늦가을까지 피어도 괜찮아
너의 진실을 보이고 싶을 땐 아무 때나.
겨울이라도.

기도하며 피는 꽃

두 손 모아 기도하듯
봉오리 고이 모아 지성으로 기원한다

꽃 피우는 일은 위대한 시대적 혁명이다

이슬과 달빛 품어 밤새 묵상기도
새벽이면 응답받아 나팔 불며 피고

낮부터 움츠려 은밀한 묵언기도
달 뜨면 가슴 열어 노란 소원 피우고

겨우내 동안(冬安) 기도, 눈 속 뚫어 피고
한여름 염천(炎天) 백일기도, 오래 붉게 탄다

더러운 뻘밭 물들지 않아 고고(孤高)히 피고
된서리에 오상고절(傲霜孤節) 의연히 피는데

기도하는 망가진 손 잡고 오열하지 마라
아가페 사랑, 잉태할 배아(胚芽) 상급 받고
행복 넘치는 세상 창조한다

기도하며 피는 꽃
기품 있어 더 아름답다

삶과 사유

소싯적,
친구에게 운동하는 목적을 물었을 때,
그 친구는
'중심을 잡기 위해서'라고 답했다.
의외의 대답이라 생각하면서도
'균형이 중요하겠구나'
하는 생각을 했었다.

서라벌 봄 꿈

서라벌 옛터 들어서니 고향 온 듯
이천 년 전 아늑한 품속으로 안겨든다

시조 왕 67세손 나그네는
신라 천 년의 사직도 역사도 잊은 채

또다시 흐르는 천 년의 길목에서
굳이 한 점 낡은 무엇을 찾는가

교촌(校村) 다리를 건너서
월정교(月精橋) 옛 교각 쓰다듬고

명륜당 향교 옥산서원
첨성대까지 어루만져 보았건만

드넓게 펼쳐진 주춧돌 터와 능(陵)들은
웅혼의 기상과 비밀을 깊이 묻은 채

차디찬 개여울만 서러이
유구한 세월을 울부짖고 가는가

아! 텅 빈 월성 옛터도 꿈이런가
이지러진 조각달보다 처연하구나

아호(雅號) 서촌(書村)

철학과 기 수련을 오래 한 서울 친구,
시인은 아호가 있어야 한다고
소인의 아호를 지어 보내왔다

'書村(서촌)'

꿈보다 해몽이라고, 해설이 멋있다

만사통달지상 온후유덕지상 입신양명지상 행복공명지상이라고
'원형이정'의 격을 풀이함에 있어 극찬의 연속이고

글 쓰는 동네, 글 마을, 글 쓰는 촌놈으로 불러 줄 거란다

소학 붕우(小學 朋友)와 논어(論語)에서도 읊었었지
'사람이 세상에 있으면서 친구가 없을 수 없으니
글로써 벗을 모으고 벗으로써 인(仁)을 돕는다'*라고.

글 쓰는 촌놈이라면 더할 나위 없는 축복이다

이 형에게 고마운 마음을 전하면서 글로써 보답해야 할 텐데…
어쨌든 나이롱 시인은 행복하다

---

* 인지재세불가무우(人之在世不可無友), 이문회우이우보인(以文會友 以友輔仁)
  옛 친구는 '유승(裕昇)'이라는 아호를 오래전에 주었는데. 두 분 다 축복을 기원함.

싸게 파는 집

백화점이 어떻게 생겼는지 모르는 사람
마트도 부담스럽다고

정류소 옆 싸게 파는 집
오후 다섯 시 넘으면 더 싸게 판다고

"지금부터 한 단에 오백 원!" 하면
두 단을 사고, 방울토마토도 사는 여인

멀쩡하고 무능한 놈 만난 죄 천형(天刑)인가
칠십 평생 안 해 본 일 없고
허리 펼 날 없었구나

그래도 아프지 않으니 고마운 우리 천사
가난과 수치도 청빈으로 초월한 성녀

꽃다운 청춘, 싸게 되파는 집은 없나!

하루살이 풍경, 소박한 정겨움에
가난한 신중년은 날마다 행복하다

국회의원 당선

1.
모 시인이 국회의원에 당선되자
불란서산 밀주를 한 잔씩 따라 놓고
두 분이 시를 읊습니다

젊은 교수는 "축하 난을 보냈습니다.
'시인이 국회의원에 강등되셨습니다!'
이렇게 리본을 붙여서요!"

원로 시인은 무릎을 탁 치며
"짓궂은 덕담!! ㅎ 나는 밥 샀어!
'이왕 여의도 갈 바엔 십 년은 해라! 직업으로 삼지 말고.
가차 없이 실축(失蹴) 하고 나와라!' '실축'이라 했어. 실축!"

"한 잔 마시자고! 조금 흔들려 보자고!"
원로 시인이 보챈다, 귀한 술이라고.

듣기만 해도 술맛 나는데요 정말 실축해 버릴까 걱정되지만
그까이 꺼.

2.

오랜만에 개콘보다 고상하고 짜릿한
개그 시(詩) 한 편에 술맛 났습니다.
그런데 그 시인 국회의원 잘해야 될 텐데
실축할까 봐 걱정되네요

흔들리지 않고 피는 꽃이 없어야 될 텐데
워낙 별꼴 다 보는 세태라서
술맛이 애매해지는데요

내가 먼저 실축하면 안 되는데
벌써 질러 버렸나

그까이 꺼.

길고양이

털은 범털이고 영락없는 호랑인데
어쩌다 쫓기며 스타일 구기나

차 엔진 밑에는 따스할까
눈 좀 붙이려고 숨었는데
갑자기 시동 켜면 부리나케 도망치고

누가 등이라도 한번 손 따습게
쓰다듬어 줄 이 없는 세상인가
언 잠자던 처마 밑이 그립구나

낙엽 때리는 소리도 아픈데
엄동설한 오면 어찌할꼬

첫눈마저 일찍 내린 날
퍼렇게 멍든 벽오동 옹이 밑에
눈망울 초롱초롱한 어린것

고독도 슬픔도 삼킨 채
누굴 애타게 기다리나

눈이 예쁜 길고양이.

민달팽이

안개비 멎은 호젓한 산책길
먼저 나온 용사(勇士) 민달팽이

눈은 뿔* 끝에 붙여 앞세우고
극비리에 진군한다

모진 세파에 장엄한 최후를 맞더라도
유장한 길은 생의 운명인 듯
발도 없이 간다

복족(腹足)이란 숙명을 안고
순종하며 전진한다

무엇이 이 서늘한 바닥에
집도 없이 알몸으로 내몰았을까

거친 광야!
나의 조국, 정의로운 나의 정부
세상에서 가장 아름다운 나의 꿈을 향해
담대하게 '미션;임파서블'에 도전한다

시리고 텅 빈 동토(凍土)
겨울공화국이 오기 전에.

2023.10.8.

---

* 뿔: 더듬이, 촉각(觸角).

길고양이 2

필시 엄마가 있었을 텐데
어쩌다 고아가 됐을까

버리진 않았을 테고
어쩌다 생이별했을까

얼마나 많이 기다렸을까

얼마나 많이 울부짖었을까
긴 겨울 추위에 무엇을 먹고
어디서 자고 견디었을까

몸이 얼어 걸음걸이도 버겁구나
날렵하던 몸매가 많이도 상했구나

부잣집 보료에 편하게 누워 자고
영양식도 걱정 없는 그들처럼
팔자 펴일 날 없을까

먹다 남은 납세미* 대가리 하나 주었더니
밤새 걱정되었다

혹시 먹다 목에 뼈가 걸리지 않았을까
밤에 찬비까지 내려 얼지 않았을랑가.

---

* 납세미: 가자미.

한글날의 절절한 반성
-사이시옷은 없애야 한다-

한 처음 빛을 만들어 만물이 순종하며 골고루 누리듯이, 한글을 만든 거룩한 뜻에 반역해선 안 될 것이다. 세계 최고의 글로 평가되고 있는 한글, 어문정책은 인류에 영향을 끼치기에 일관성 있고 합리적이어야 한다.

편하게 두루 쓸 수 있어야 하는데, 학자 몇 명만 겨우 알 수 있는 수많은 규정과 예외 규정을 두어 혼란을 야기하는 것들이 많지만, 시급하고 절실한 것 중 하나는 '사이시옷' 규정이다.

'한글 맞춤법' 제30항에 적용 범위와 원리가 밝혀져 있다. 많은 조건이 난삽하게 규정돼 있고, 그중 '합성어 구성요소가 모두 한자이면, 곳간(庫間), 셋방(貰房), 숫자(數字), 찻간(車間), 툇간(退間), 횟수(回數)의 여섯 단어를 제외하고는 사이시옷이 들어가지 않는다'라는 규정이 있다.

이 얼마나 웃기는 규정인가? 이따위 규정을 만든 자가 누구일까.
전 세계인이 그것까지 외우고 다녀야 한단 말인가. 대학을 나온 사람도 도무지 알지 못하는 조건과 예외 규정들은 어이가 없을 지경이다.

사례가 너무 많지만 거두절미하고, '새 주소 부여 사업의 도로명 규정' 만 보자.

"새 주소 부여 사업의 하나로 새로 명명하고 있는 도로명 고유명사 'ㅇㅇ길'에는 사이시옷을 받쳐 적지 않는다"(2001.8.4. 국립국어원)

이 예외 규정 하나만 보더라도, 학자들이 이실직고하고 인정한 증명이다.
사이시옷은 없애야 하는 것이라고.

얼마나 '사이시옷' 규정이 중구난방인지, 잘못 만들어진 규정인지, 그리고 '사이시옷'이 없어져야 하는 이유를 웅변한 것이다.

처음부터 없어야 될 것을 붙여서 국민과 전 세계인을 골탕 먹여온 규정인 것이다. 초등학교 6년만 다녀도 편하게 잘 쓸 수 있는 것을, 대학을 나온 사람도 헷갈리는 규정이다.
예외 없는 규정은 없지만, 예외가 너무 많으면 입법 취지가 뒤틀려 지록위마처럼 된다. 어설픈 '식자우환'이란 비난을 받지 않도록 한글학자들의 절절한 자성을 촉구한다.

"된소리 음운현상과는 별개로 '사이시옷 표기는 없앤다'"라고 하면 간단하게 해결될 것이다.
북한에도 그따위 규정은 없다는데, 분열과 반대만 일삼는 망국적 세뇌에 깊이 빠진 자들의 작품인가. 많이 늦었지만 이제는 반성하고 바로잡아야 할 것이다.

꼴사나운 사족을 없앤다면 누구나 다 쓰고 읽기 편하고, 합리성과 품위가 돋보일 것이다. 그것이 애국이고 한글 사랑이다.

국록만 축내는 자들에게 밥값 좀 하라고 강력 촉구하고, 경고하는 인류의 외침이다. 전 세계 사람들이 가장 우수하다고 평가하는 한글답게 품위 좀 지킵시다 제발.

사랑해요! 한글!

궤변(詭辯)

삶의 근원인 바다에는 어떤 쓰레기도 버려선 안 된다 철석같이 다짐했는데 돌연 핵폐기물을 쏟아 버려도 좋다고 궤변(詭辯)*하는 말종들이며

그에 부화뇌동하는 자들이, 바른말을 오히려 '궤변'이라고 궤변하며 날뛰고 있으니 지구가 괴변(怪變)*으로 괴변(壞變)*해 버릴까 안타깝다.

궤변(詭辯)을 쏟으며 우기는 자들, 후쿠시마 핵폐기물 저장소에 함께 넣어 밀봉 처리하면 지구는 좀 더 쾌적한 팔월을 맞이할 텐데

하나밖에 없는 소중한 지구(地球)! 청정한 해산물, 생명의 보배가 끊임없이 생산되는 그곳에 무엇을 버리고 방류한다는 따위의 정신머리는 어디서 비롯된 걸까

치수(治水)는 예나 지금이나 (지도자의) 중요한 덕목이다

폭우 홍수 대비를 못 하거나 바다를 버리면 지구는 없다. 지도자도 버린다.
겸손해야 배울 수 있을 텐데. 궤변자는 구제 불능인가.

지구온난화(global warming) 시대 끝나고, 지구 열대화(global boiling) 시대가 도래하여, 신음하는 지구를 위해 고민하고 실행해야 할 중차대한 위기가 왔다.

* 궤변(詭辯): 거짓을 참인 것처럼 꾸며대는 말(지록위마, 적반하장, 내로남불 등).

* 괴변(怪變): 괴상한 재앙 · 사고(물고기 등 생물은 더 예민하게 변형된다).

* 괴변(壞變): 무너져 (모양이) 변함.

'귀천(歸天)' 단상(斷想)

사월은 천상병 시인이 귀천한 달

서울대 입학 전 미군 통역관으로, 후에는 부산시장 공보비서 재직 경력이 있지만
천 시인은 상대 졸업을 팽개치고 가난한 문인의 길을 택해 버렸다.

젊어서 시인으로 등단하고 예리한 평론도 했지만
악랄한 정권 시녀 중앙정보부, 시국 반전 기획의 묘수(?)였을까

죄 없고 가난한 천재 시인까지 죄인으로 몰아 고문했다.
소위 '동백림사건'으로 '간첩 불고지죄' '파렴치범'으로까지 처절하게 인생을 파괴했다.

서울대 동기인 모 교수에게 100원, 500원을 얻어, 막걸리 마신 걸 합산해 도합
몇만 원을 뜯어먹은 파렴치범으로까지, 국가보안법 죄목에 더하였다.

그는 죽지 않고 6개월 후 너덜너덜하게 살아 나와 모진 전기 고문을 회상했다.
"아이롱 다리미로 와이셔츠 다리듯 해 버렸다"
더 이상 가까이 오는 사람도, 막걸리 사 줄 사람도 없었고. 영양실조로 그는 거리에 쓰러져 사라졌다.

안타깝게 기다려온 문인들은 이미 그가 사망했을 거라 결론, 유고 시집 '새'를 발간했고

한참 후 그는 부활하여 "문디 자슥들…" 하며 나타났다.
그를 아낀 모 의사가 지극 정성으로 살려 낸 것이다.

예리한 필봉도, 후손도 볼 수 없도록 몸이 망가진 그에게 천사가 나타나서 그와 배필이 되었고, 인사동에 '귀천'을 열어 생계(?)도 이어 갔다.

동료 시인이 시 낭송을 하면 "문디 자슥, 그기 시라고 읊고 있나…" 너스레 떨고
막걸리 한 잔에 "장엄하다…" 했다.

중병으로 '가망 없음'을 통보받았어도 기적적으로 소생했다.
"저승 갈 때 여비가 필요하다면 나는 못 갈까…?" 했지만.
가서 "소풍 잘하고 왔다"라고 했을까.

그가 진짜 귀천한 후 서른다섯 분이 '천상병을 말하다'를 썼고,
"순박하고 순수한 천상병이 미치도록 그립다"라고 절규한 소설가도 있었다.

1993년 4월 28일 귀천했으니 벌써 30년.
신록이 빛을 발하고 벌나비도 꽃을 찾는 이 만화방창 시절에
봄 소풍 한번 못 오실까요 이제는 부활이 안 될까요

막걸리 한잔하시고 장엄한 이 세상을 다시 볼 수 없을까요
부활절인데.

섬놈들

비하할 때는 '놈' 자를 붙여서 말하길 좋아하는 사람이 있었지.

"*말컨 섬놈들이 모여 지들끼리 다 해 처묵고…"
파이프를 물고 거들먹거리며 넌지시 비꼬는데도 웃을 수밖에 없는 풍경.

살벌한 군사정권 시절에 중앙집권화된 권력구조처럼,
작은 관공서 조직도 권위적이고 권한이 집중된 부서가 있었지.

기획, 인사, 감사, 복무, 지도감독을 총괄하는 부서가 있었기에
감히 타 부서에서 덤비지 못했는데, 유독 한 사람
간혹 올라와서 거드름을 피울 때가 있었지.

사실 권한이 집중된 부서장과 그 직속상관, 기관장(임용권자)이
하필 '남해' '거제' 출신 인사였으니,

모두 '섬놈들'이 다 해 먹는다는 우스갯소리를 해 본 것인데
속내는 한 번 웃고, 좀 친하게 지내 보자는 의도로 화두를 던진 것이다.

그러나 눈을 크게 뜨고 지구를 보자, 70%가 넘는 면적을 물이 덮고 있다

육지는 30%도 채 안 되는 섬들에 불과하다
대륙이라 하지만 망망대해에 떠 있는 섬 조각이 아니겠는가

화자 역시 섬놈(?)에 불과한데도 자기는 미처 보지 못했다.

한쪽 섬에는 홍수가 쓸어 덮고 또 한쪽 섬에는 지진으로 폐허가 되는데.
우수(雨水)를 하루 앞둔 오늘은 주말, 을씨년스러운 대지에 안개비가 적신다

그래도 봄은 올까? 작은 창세기가 펼쳐지듯, 신비하고 경이로운 보물 창고가 열릴까

우리 작은 섬에도.

---

* 방언 풀이: 말컨 → 죄다. 모두. 전부. 싹쓸이.

고진감래(苦盡甘來)

그야말로 옛날식 다방 풍경!
'마담'이 있고 '레지'가 있고 벽면엔 오래된 액자에 휘호 세 개

'苦盡甘來'가 걸려 있길래 레지에게 물으니 "고생 끝에 낙이 온다 아닙니까?"
젊은 아가씨가 한자를 모를 거라 생각했던 나는 깜짝 놀랐다.

다른 벽면에 붙어 있는 '松姿鶴操(송자학조)'와 '我心如秤(아심여칭)'도 물으니, 그건 모른다 했다. 그래서 나는 거드름을 피우며 알려 주었다.

'고진감래'는 '커피를 잘 저어 마셔라'는 뜻이고 그리하지 않으면, 쓴 커피 맛이 다할 때 안 녹은 설탕 단맛이 뒤늦게 올라오기 때문이라고. (진정한 단맛은 쓴맛 뒤에 온다)

나머지 두 사자성어도 본래의 뜻과 다방에서의 의미를 나름대로 명쾌(?)하게 해석해 주었더니, 흡족해했을 뿐 아니라, 엿듣고 있던 마담이 감동했는지 산수화 한 폭을 선물한다는 것이었다. 거들떠보지 않던 누른 액자가 귀하게 감정 평가된 보답이었을까.

삼십여 년 세월이 훌쩍 흘렀다. 그 아가씨의 말대로 고생 끝에 낙이 오는 삶을 살아야 할 텐데, 그러지 못하고 '감진고래(甘盡苦來)'나 '고진

고래(苦盡苦來)'의 인생을 사는 사람이 적지 않을 것이다.
'감진고래'는 한때 단맛이라도 보았겠지만 '고진고래'는 참으로 비참한 생이 아닐까.

연말이 가까이 오면 기쁘고 보람차고 즐거워야 할 텐데. 왜 춥고 우울해질까
아마도 '송자학조'와 '아심여칭'의 교훈과 가르침을 망각한 죗값인가.

삭풍 한설에 대책 없는 극빈층, 어린이와 노약자, 남몰래 가슴앓이하는 외롭고 괴롭고 고달픈 사람들, 누가 그들을 찾아 눈물을 닦아 줄까

칼바람 휘몰아치는 세모에 한 가닥 따뜻한 빛을 소망한다.

목마(酒店)

아름다운 이름 거창한 술집도 아닌,
그저 이름만 '목마'
지하에 퀴퀴한 김빠진 맥주 썩는 냄새

피로한 말단은 해거름 때도 한참 지나
공무에 찌든 몸을 털고 들어가곤 했지

갈증을 추기며 피로가 풀어지면
천 원짜리 한 곡조 뽑아 보는 전자오르간 가락

촌놈 레퍼토리 다양한들 기껏 배호 남진 나훈아
모창 수준 이하였겠지만

삼십 대의 젊음과 기백이 분출되고 자존감도 세워 보는
짧은 낭만의 시간이었던가

만산홍엽도 스러져 가는 이 가을 끝자락에 문득
떠오르는 한 조각, 눈가에 이슬로 맺힌다

가을비 적시는 오늘
그들은 어디서 어떻게
늦가을 인생을 연주하고 있을까

나만 이렇게 댕그랗게 남겨 두고.

유월 소망

어제가 음력 유월 초하루, 오늘은 양력 유월 말일
올해의 절반이 지나는 날이다.

옛날 '깐깐오월에 미끈유월이라' 했지만, 유월은 다양한 것을 말한다.

유월(六月)은 12월 중 여섯째 달이지만,
유월(榴月)은 석류꽃이 피는 음력 5월
유월(流月)은 유두가 있는 음력 6월,
유월(酉月)은 월건이 '유(酉)' 자인 음력 8월을 말한다.

유월(踰月)은 달을 넘긴다는 것이고,
유월(逾越)은 한도를 넘는다는 것이다.

애굽의 종살이에서 탈출하기 전야, 애굽의 장남들을 모두 죽일 때,
문설주에 피 묻은 집은 건너뛰어 넘어갔다고 유월(逾越)이었는데,

이때의 유월은 생명을 살리는, 실로 준엄한 말이 되었다.

오늘날에도 슬기롭게 유월하여 죽게 된 생명도 살리고
왜곡된 경제와 물가에 고통받는 서민도 위기를 잘 넘겨

청포도 익어 가는 칠월부터는 활짝 웃는 나날만 이어지길

유월에 소망합니다.

하지(夏至)에 할 것

낮이 제일 길어 하지(夏至)다.

'至(지)'는 '窮極(궁극)'이고 '極盡(극진)'일 때를 말한다. 아무튼 하지가 되면 모(禾苗)는 다 심었겠지만, 가뭄과 장마가 번갈아 괴롭힐 것이다.

화려한 장미도 자취를 감추고 능소화가 피기 시작할 것이다. 일조량이 가장 많을 테지만 혹서는 한 달쯤 뒤에 들볶을 것이다.

이미 아무것도 안 하고 있으면서 더 격렬하고 적극적으로 아무것도 안 하고 싶다고 빈둥대서는 안 될 것이다.

무얼 어떻게 해야 하냐고 물으면 해야 한다고 해서 '하지'다. 덥다고 '놀지'나 '쉬지'가 아니고, '안 하지'도 아닌 '하지'다.

천문학적인 국민의 세금을 퍼부어 뽑힌 대통령부터 지방 나리들까지 국민을 위해, 나라를 위해 죽기 살기로 일해야 할 것이다.

빈둥빈둥 거드름을 피우며 사진이나 찍으러 다니고, 배우자까지 그 짓을 해댄다면 얼마나 덥고 짜증 나겠는가.

휴가랍시고 강아지나 끌어안고 개폼을 잡고 다닌다면… 머슴 놈이, 주인인 국민을 얼마나 업신여기는가 싶어 무덥고 짜증이 더할 것이다.

진실은 덮고 권모술수만 판치는 못된 정치 야바위꾼에 무젖어 눈속임만 하려 한다면 안 된다. 그렇다고 오히려 주인에게 칼날을 겨누고 협박하는 것이 통쾌할 것이라 착각하지 마라.

스스로 자문하며 양날의 칼은 자기로부터 엄중해야 할 것이다. 검(劍)은 휘두르지 않고, 검집에 있을 때 위엄이 서야 한다. 포(砲)는 선제타격용이 아니고 선제공격을 막는 데 쓰는 것이다.

고물가에 가뭄에 희망을 찾지 못하는 국민들에게는 대책이 없는가? '사나흘씩 굶고 있는 사람'* 앞에 빵 사 먹으러 간다고 경호원 몰고 다니며 자랑스레 까불고 놀지 마라.

모여서 놀고먹고 마시는 데 혈세 낭비하지 마라 제발, 먹는 사진 올리지 마라 구역질 나고 천박하다.

세계는 피비린내 나는 전쟁에 몸서리치고 있는데, 관광이나 하고 처돌아다닌다거나 나랏돈 잘 쓰고 다닌다고 까불며 추태를 보여서는 안 될 것이다. 국격(格)도 한없이 추락한다.

외눈으로 세상을 보지 마라. 자기 패당들만 권한을 휘두르고 정적을 박멸해야 시원할 것이라는 아집을 버려라. 비루해 보이고 조만간 응보로 다가온다.

심판을 하라고 뽑아 준 게 아니고 구원을 하라고 명령한 거다, 심판은 주인이 한다.
지극히 엄중하게 국민을 위해 극진히 노심초사할 때가 바로 지금, '하지'에 매진해야 참된 머슴이다.

보여주기 행사에 급급하지 마라. 주인은 커지는 리스크를 걱정하고, 참된 머슴들의 지혜와 땀 흘리는 모습을 보고 싶어 한다.

근시안적이고 편향된 외교는 기초가 안 돼 불안하다. 넓은 안목으로 외교와 내치에 지혜를 짜내면, 자초한 위기를 슬기롭게 넘길 수 있을 것이다. 목 빠지게 인내하는 비극이 서민에 일상화되지 않길 바란다.

태양이 에너지를 쏟아부어 축복하는 오늘, 夏至!

모든 분들의 건강과 건투를 기원합니다.

---

* '내 딸을 백 원에 팝니다'라는 글이 써진 종이를 목에 건 채, 시장에 서 있던 여인. 한 군인이 백 원을 쥐여 주자, 딸을 판 백 원으로 허둥지둥 밀가루 빵 사 들고 달려와, 이별하는 딸애의 입에 넣어 주며 "용서해라!" 하고 통곡하는 가난한 엄마의 절규가 들리지 않는가(발췌: 장진성 탈북시인, 조갑제 닷컴).

우주의 변두리 태양과 춘분(春分)

지구는 태양 주위를 도는 세 번째 행성.
우주선을 타고 태양계를 벗어나려면 수십 년이 걸리는 긴 거리.

은하계에는 이 같은 태양계(항성계)가 1,000억 개나 있고
태양계는 은하계의 중심에서 3만 광년 떨어진 변두리에서 돌고
우주에는 이런 은하계가 1,000억 개 이상 있는데

우리 은하도 은하계 집단인 라니아케아(Laniakea)
초은하단의 끝자락에 있어, 우리가 사는 이 지구는
우주에서도 변두리 중의 변두리.

그렇다고 주눅 들 것도 없고, 태양이 꺼지지 않는 한 희망은 있다
어쨌거나 춘분(春分)이다. 태양과 지구의 관계에서 황경 0°

본격적인 시작입니다 변두리 분들 힘냅시다.
우주 전체를 통틀어 한 분밖에 안 계신 귀하의 일 년 농사 다 잘 되시길.

속에 우주가 들어 있다는 사람도 봄꿈에서 깹니다.

---

* 참고 도서: 알아두면 쓸데 있는 유쾌한 상식사전(조홍석)

정치가 1

식인종 식당을 취재하고 있었다.
메뉴판을 보니, 철학자 튀김 10달러, 판검사 구이 20달러,
정치가 볶음 300달러라고 적혀 있었다.

기자가 물었다. "정치가는 왜 이리 비쌉니까?"
그러자 주인은 "깨끗하게 손질하기가 너무 힘들거든요."

정치가 - 보편적으로는 공약(公約)과 공약(空約)을
구분할 능력이 없거나, 있더라도 양심을 지킬 능력이 없는 사람들.

한국인은 모든 요소들을 다섯 가지로 대별하기 좋아한다.

우주 만물은 금수목화토 5행,
방위는 동서남북 중앙을 합쳐 5방위,
색깔은 5색, 곡식도 5곡, 몸은 5체, 소화기는 5장,
정치가들이 즐겨 사용하는 방어무기는 5리발. 퍽! (이외수의 '절대강자' 중)

오랜 가뭄 끝에 봄비가 내려 산불도 끄고, 술 생각나는 분들께 안줏거리 조금 가져왔습니다. 상큼한 봄날 되세요! 3월 내내~.

정치가 2

식인종 식당 취재 후기입니다.
메뉴판의 '정치가 볶음 300달러'는 오래되지 않아 사라졌다.
영양가는 없고, 터무니없이 비싸, 고객이 외면했던 것이다.

'적폐 언론 사주'나 '빤x 목사'를 비롯한 '퇴폐 종교인 두루치기'
'법조 카르텔 나부랭이 짬뽕' '썩은 판검사 도리탕' 등도
같은 전철을 밟았다.

한편 엉겁결에 대통령이 된 SY가 식인종 나라 공항에 도착해 보니,
모두가 분주하게 검색을 하는데, 한 명은 가만히 서서
사람 눈만 말뚱히 보고 있으므로 SY는 물었다.

"자네는 직책이 무언가?" 하자 "난, 식품 검사원이요!" 하고 대답했다.

눈만 봐도, 식용 가능 또는 불량 식품을 감별해 내는 사람.
30년 전에 YX가 처음 갔을 때도 그 검사원이었다는 것까지만 팩트 체크가 되고,

지금은 오미크론이 창궐하여 추가적인 팩트 체크는 할 수 없다네요. ㅋ!

웃음은 만병통치약입니다. 너무 심쿵하지 마세요. 한쪽에는 폭설 경보 내리고 또 한쪽엔 봄비에 젖어 보고 싶은 불금, 그래도 봄은 상큼합니다. 좋은 날 되세요!

대통령의 즉석 연설

잠시 쉬어가기

링컨 대통령은 취임 초기에 출신이 미천하단 이유로 의원들의 비난을 많이 받았다. 어느날 링컨의 연설이 시작되기 전에 명문가 출신의 한 상원 의원이 일어나 말했다.

"연설을 시작하기 전에 당신이 제화공의 아들인 것을 기억하기를 바랍니다."

사람들의 웃음소리가 들렸다. 링컨은 웃음소리가 멈추기를 기다렸다가 여유롭게 연설을 시작했다.

"아버지를 생각하게 해 주셔서 대단히 감사합니다. 이미 세상을 떠났지만 나는 반드시 당신의 충고를 잊지 않고 아버지를 영원히 기억할 것입니다. 맞습니다. 나는 제화공의 아들입니다. 아버지가 훌륭한 제화공이었던 만큼 나는 대통령의 일을 그만큼 잘하지 못할 것을 알고 있습니다."

링컨은 말을 끊고 그 상원의원을 가리키며 말했다.

"내가 알기로는 아버지가 당신의 가족을 위해 구두를 만들었는데 만약 그 신발이 발에 맞지 않는다면, 내가 그것을 수선해 줄 수 있어요. 이는 상원의 모든 의원에게 적용됩니다. 하지만 한 가지 확실한 것은 나는 나의 아버지처럼 위대하지 않다는 것입니다."

악독한 비난에 직면한 링컨은 비꼬는 방식으로 대응하지 않았다. 그는 자신의 신분을 부끄러워하지 않고 오히려 아버지가 위대하다고 인정하며 대통령이든 제화공이든 직업이 다를 뿐이라는 메시지를 연설에 담았다. 그는 가장 존경받는 대통령이 되었다.

이는 책에서 발췌한 것입니다. 오늘은 정월대보름입니다. 가난하고 어려운 분도 힘내시고, 큰 축복을 받으시길 축원합니다.

오동의 추성(秋聲)

오동(梧桐)은 무엇인가?

‘오동잎 하나 떨어지니 천하에 가을이 온 것을 다 안다.’
‘본래 봉황을 보려고 심었는데 부질없는 잡새들만 깃드네.’
‘봉황은 어찌 안 오는가’ 하고 탄식했듯이

수많은 소인묵객(騷人墨客)들이 오동을 읊고 묘사했고,
‘오동나무는 천년을 늙어도 항상 제 가락을 지니고 있다’고도했다.

오동나무 끝에 걸린 달 보고 짖던 그 개들은 마을을 지키는 충견들이었을 것인데, 오늘의 파리 떼들은 악취 나는 쇠꼬리에 붙어 한자리하겠다고 갖은 추태를 다 보인다.

금정산성 서문 밖을 지키는 오동나무를 보며, 가을이 온 것을 이미 알았건만
마음 한쪽은 왠지 착잡하다.

오동나무 이파리들아! 세월을 한탄하며 울지도 못하는 이들 많다.

제발 가을 소리 좀 크게 내지 마라!

本因高鳳植 空有衆禽棲: 고려 이규보.

樓外碧梧樹 鳳兮何不來: 조선 송강 정철.

桐千年老 恒藏曲 梅一生寒 不賣香~: 신흠(梧桐一葉落 天下盡知秋)

지록위마(指鹿爲馬)

어느 당 대선 경선을 보며 저속하고 무식한 자들의 진면목을 보고 한탄했다. 판검사를 했다는 자들조차 그리 머리는 비었고, 무지한 자들임을 적나라하게 보여줬다.

자기의 실적, 성과로 평가받을 것이 없으니 남만 헐뜯고, 자기편 잘못을 남에게 뒤집어씌우기에 혈안이었다.

검사 눈엔 보아도 보이지도 않고(視而不見), 들어도 들리지도 않는 것(聽而不聞)인지. 잔돈(?) 50억 원도 받고, '고문'에 등재돼 있는 자, 그들조차 왜 조사 안 하는가 못 하는가

본질을 숨기고 실체와 증거를 인멸하게 장기간 방조하는 건가. 소위 '법조 카르텔'은 판, 검, 변호사에 법조 기자까지 한통속이라는 것을 과시하며 깨춤을 추는 것일까.

'고발 사주 의혹' 실체가 드러나도 수사를 못하는 게 더 한심하다.
어떤 이는 자기 목소리를 들려주어도 도무지 "기억나지 않는다"라고 잡아떼고, 다른 사람이 말한 작은 꼬투리는 그렇게 생생하게 기억하고 있는, 탄복할 선택적 기억력을 가진 맹랑한 검사 출신 국회의원도 있다.

2천 년을 훌쩍 넘어도 그 '지록위마(指鹿爲馬)'다. 진시황 유서를 변조

하여 전권을 찬탈한 역적 '조고(趙高)'란 환관(宦官)의 음흉한 계략이 21세기 대명천지에도 통하는 것인가.

"고약한 냄새, 더러운 소리만 들리는 세상입니다"라고 한탄한 '다산' 선생이 계신다면 지금의 행태를 뭐라고 하실까….

이렇게 좋은 가을날 만산홍엽도 보지 못한 채, 이런 잡생각을 횡설수설한 것도 악취(惡臭)가 코를 찌르기 때문일까, 예성(穢聲)이 귀를 괴롭히기 때문일까

오늘이 입동(立冬)이라서 그런 건지 피던 만리향 꽃도 시들고, 가로수 낙엽 소리마저 처량하다.

그러나 정직하고 진실한 사람들이 마음껏 웃는, 공기 깨끗하고 따스한 춘삼월이 오길 소망한다.

고추잠자리

너는 어찌 그리도 빛깔이 고우냐

날개는 날렵하고 두 손은 공손하고
꼬리까지 날씬하구나

네가 종횡무진 날면
들판은 황금빛 옷 채비 바쁘고
산들도 이파리 떨며 긴장한단다

무덥게 괴롭히던 폭염
애걸복걸 매미 소리 사라지고
귀뚜라미 복창 소리 커질 것이다

청정점수(蜻蜓點水)*로 재촉하면
가차 없이 비상 상황에 돌입하여

오곡백과는 갈무리 결실에 전력투구하고
풍요로운 가을을 떠밀고 올 것이다

예쁘고도 매서워라
빨간 고추잠자리

* 청정점수: 잠자리가 물을 차고 날아감(몇 가지 다른 교훈과 해석이 가능함).

하루살이 인생(人生)

사람이 산다는 것은 하루살이의 연속이 아닐까

일용할 양식에 감사하며 하루하루를 살아
축적하며 살아 나갈 것이다.

추석 연휴를 닷새나 맞아 넉넉한 마음 부자였으나
끝나니 허전하다.
욕심이 남아 아쉬움을 떨칠 수 없기도 하고
무엇 하나 제대로 한 것도 없이 지나 버린 듯하다.

맹자는 '불위야 비불능야(不爲也 非不能也:
하지 않는 것이지 할 수 없는 것이 아니다)'라고 했다.

연휴 후에 다시 하면 된다.

모 프로선수도 힘주어 말했다.
"4주 완성은 없다. 그래도 한방은 있다.

그러나 1센티미터씩, 작은 승리의 모음이다.
스몰 빅토리의 축적이다"라고.

인생은 그렇게 '하루살이'를 쌓으며
위대한 인물을 세상에 내보내는 것이 아닐까.

추분(秋分)인 오늘도 하루살이의 밤은 깊어 간다.

명동(明洞)의 추억

1970년대… 김일성 별장이 있었다는 산정 호수 밑

인격 따윈 간 데 없고 동물인 듯 짐승인 듯
혹독하게 단련하다 서울로 내려오니 살 것 같았다.
별천지였다.

촌놈인 주제에 무교동에서 한잔하고 명동거리를 배회하던 그날
'불세출의 가수 배호'가 요절한 지 몇 년이 됐단다.

그가 세상을 떠나기 일 년 전에 불러 히트한 '비 내리는 명동거리'가
격렬하게 가슴을 때렸다. "사나이 가슴속에 비만 내린다♬"

절절한 메아리로 두들기며 울렸다.
안타깝게도 그는 1971년 명동 코스모스 백화점 공연 중에 쓰러져
마지막 공연을 한 것이다.

그가 타계한 지 어언 50년이 되었다.

반세기가 흘러도 슬슬하고 울적한 가을날
깊은 곳에 말라 있던 한 조각 추억을 꺼내
촉촉이 가슴 적시며 젖어 보고 싶다.

그는 떠났어도 노래는 영원히 불려질 것이다.

해운대 추억 공연

오늘은 해운대 벡스코. 나훈아 가수를 보러 왔다.
1960년대 말경 진주서 본 후 근 반세기 만이다.

그때 그는 갓 스무 살쯤 청소년. 새까만 얼굴에 촌티가 묻어났고.
어! 목소리는 괜찮네! 가수 소질은 있어!

그는 '님 그리워' '사랑은 눈물의 씨앗'을 불렀다.
존재감 없던 새까만 신인이었지만 한동안 여운이 남았다.

많이 따라 불렀고, 나도 10대가 지나 나이 들면서
배호, 남진 노래와 함께 흉내 내며 폼 잡던 시절이 있었다.

그로부터 사십여 년이 흐른 후, 그는 2,500곡 이상을 취입하고,
작곡, 작사한 곡도 800곡이 넘은 지 꽤 됐단다.

배호는 요절하여 전설이 됐고, 그는 살아 있는 전설이 되고 있고,
반세기 전 풋내기 신인 가수는 지금 중후한 황금 보석이 돼 있었다.

그의 노래는 시다. 수필이다.
때론 서정시가 되고, 서사시도 되면서 가슴을 울린다.

궂은비가 되어 창문을 적시다가 해변의 청량한 바람이 되기도 하고,
봄이 왔는가 하면 여름, 가을, 겨울도 되는데

그 속엔 사랑과 이별과 기쁨과 눈물과 애환이 녹아 있고
고향과 여인, 청춘과 사나이 가슴, 녹슨 기찻길과 그리움도 있다.

그는 울지 않는데 왜 내가 짠할까. 전철을 갈아타고 화명동에서 내렸다.

낙엽이 우수수 때리며 노래한다. 남자의 인생이다.
늦가을, 11월 마지막 주말 밤은 이렇게 깊어만 가는구나.

2017.11.26.

온화한 선배, 추억의 그 노래

'운다고 옛사랑이 오리요마는~.' 이 노래만 들으면 정 고문이 생각나는 것은….

1970년대부터 대포만 한잔하면, 30대 초반의 행정○○ 鄭○○ 청년은 구덕골에 울림을 주는 노래 두세 곡을 불렀는데, 그중 하나가 '애수의 소야곡'입니다.
(참고로 1972년도에는 9 · 14 폭우로 구덕 수원지 둑이 터져 수많은 인명이 희생되었고, 한 달 후 10 · 17유신을 선포하고 국회를 해산하여 암울하고 공포스러운 유신시대가 본격적으로 이 땅을 유린한 시발점이 된 해입니다)

술 먹고 삐딱거리다가 통금을 위반하면 간첩으로 몰려 죽을 고생을 할 수도 있는 살벌한(?) 시절임을 염두에 두어야 할 것입니다.

그러나 우리는 구덕골에서 수양버들이 늘어진 보수 천변을 따라 또 다른 친구와 어깨동무하며 까불던 추억이 있습니다. 이제는 그 보수천이 그때의 낭만을 아는지 모르는지 흔적도 남김없이 자취를 감추고, 복개도로 아래에 눌려서 숨죽이며 흐르고 있을 것입니다.

그때 그 20세기의 청년은 21세기의 신중년이 되신 지 오래고, 근 반세기가 흘러가는데…. 그 옛사랑은 어떻게 됐을까. 지금도 가끔 찾고 계실까. 팔순잔치 전에 노래 한 번 들어 봤으면 좋으련만. 뭐가 그리 바쁘신지.

'윤사월 해 길다'라고 느긋하게 읊은 시인이 있었지만, 우리는 언제까지 바쁘고, 현재진행형으로 살아가야 할 것인지요.

점심때 시원한 막걸리 맛을 보고 나니 양력 유월도 절반을 넘어섰습니다. 남인수 노래가 카톡에 들어오길래 즉흥적으로 떠오른 추억입니다. 누구에게나 있었을 젊음과 낭만을 회상하며 잠시 머리 좀 식히시라고 '남인수'도 띄워 봅니다.

편안한 오후 되십시오.

2019.8.11.

어린 시절 한문(漢文) 추억 1

'초저 출생, 초고령 사회'로 치닫고 있는 우리나라. 두 자녀 이상을 낳아 기르는 젊은 부부를 보면, 국가유공자처럼 보인다. 새 생명으로 태어난 아이를 볼 때마다 신비로움을 느끼고, 아이가 클 때, 온갖 표정과 행동을 보면서 웃고, 감동하며, 순박한 어릴 때로 돌아간다.

고정관념과 매너리즘에 빠져 사는 우리에겐 신선한 깨우침의 자극이 된다. 낳아서는 눈도 제대로 뜨지 못하던 녀석이 말을 하고, 글을 쓰고 하더니, 한자까지 읽는 걸 보고 더 놀란 것이다.

아직 어린이집에 다니는 녀석들이 이렇게 일취월장하는 모습을 보고, 나의 어린 시절을 회상해 보았다.

나는 시골 출신이라 흙마당에 놀고 있을 때, 할아버지께서 막대기로 한자 이름을 가르쳐 주셔서 다섯 살 때 처음으로 한자를 알게 되었고, 옥편 찾는 법도 배웠다.

세월이 흘러 학생 시절 친구를 만나, 한문에 관한 수수께끼 문제를 주고받는 놀이를 하게 되었다. 그 친구는 책을 많이 읽어 아는 것이 많았고, 한문에도 박식했으니, 내가 그에게 가르쳐 준 기억은 하나도 남아 있지 않았다. 그는 나에게 많은 것을 가르쳐 준 고마운 친구였다.
김삿갓의 해학이 넘치는 글들은 많이 알려져 있었지만, 이 친구는 도무지 출처를 알 수 없는 문제만 제시하여 나를 골탕 먹였다. 많은 것들이 세월에 씻겨 기억에서 사라졌고, 몇 개가 남아 있어, 그중 두 가지만 추억해 보고자 한다.

1. 配年朋半一怨無心 首陽山下桂月仙(배년붕반일원무심수양산하계월선)

이것은 만석꾼 사랑채에 십수 명의 식객들이 북적댔는데, 한보름 이상 묵던 식객 중 한 사람이 떠나면서 고마운 주인장에게 밥값이나 하고 가야겠다면서 만석꾼에게 써 주고 간 글이다.

2. 萬物之靈下人間之最 三蛇走 各抱一卵 我弓側不短 金右易 一鳥飛几中(만물지영하인간지최 삼사주각포일란 아궁측부단금우역일조비궤중)

이것은 출근(입궐)하고 난 정승 집 높은 담을 훌쩍 뛰어 넘어간 사람이 못된 짓을 해 놓고는 정승 부인에게 써 준 글이다.

#1. 글을 받은 만석꾼은 어떻게 했으며, 결과(운명)는 어떻게 됐을까요?
#2. 퇴근(退闕)해 온 정승이 부인에게서 글을 받아 보고 뭐라고 중얼거렸을까요?

2019.11.8.

반세기도 지난 오래된 기억인 데다가, 책에서 보지 않고, 구전으로 들은 풍월이라 글자가 혹 틀릴 수도 있고, 없는 한자가 있어 대체하거나 두 글자로 나눈 것도 있지만 전체적 맥락은 같습니다. 초등 저학년 산수 문제 수준으로 쉽고 재미있는 문제지만, 설령 안 풀려도 치매 예방에 도움이 될 것입니다. 금년이 두 달도 남지 않았기에 생각난 글이었습니다. 좋은 가을 날씨지만 감기 조심하세요~. 결과는 다음 편에.

족보 제작

지리산 정상에 올랐다가 내려오니 다음날 천왕봉에 첫눈이 내렸고, 추수 감사절기를 맞아, 충북 옥천, 진주, 사천 축동, 고성 등지로 바쁘게 갔다 오고 나니, 가을비가 대지를 적시며 기온을 끌어내린 것이다.

소설(小雪)이 목전에 다가왔으니 수확물을 잘 갈무리해야 할 시기가 되었다. 집안에서는 36년 만에 새로운 족보를 만든다고, 애로 사항과 난감함이 많았지만, 내가 맡은 부분은 내일 중 교정까지 끝낼 작정이다.

모두가 바쁘고, 한자(漢字)도 모른다 하고, 눈이 나쁘다는 핑계들 때문에, 제일 바쁜 내가 일부를 맡은 것인데, 시간도 뺏기고, 경제적으로도 많은 손해를 감수하고, 희생해야 하는 일이라고 생각했지만, 이제는 선조와 후손을 위해 보람 있는 일이라는 생각이다.

딱딱한 느낌의 족보도 진화되어 충신과 문무백관뿐 아니라, 기업인 등 뛰어난 인물도 기록함으로써, 후손들이 친숙하게 느끼고 집안 역사를 바로 이해할 수 있도록 해야 할 것이다.

시조(왕)로부터 67세손인 나는 중시조로부터는 27세손이다. 중시조 1세부터 8세까지는 고려의 충신이었고, 8세 조부는 조선이 개국되자 벼슬을 거절하고 충청도 산골로 숨어 은거함으로써, 가세가 기울고, 그 장남이 결혼하면서 진주로 이주하여 오늘에 이르고 있다.

영구 보존될 보책 발간과 함께 인터넷 족보도 만들고 있으니, 참으로 편리한 세상으로 급변했다. 초저출생 시대로 나아감이 안타깝지만, 어느 집안을 막론하고, 자손이 번창해야 국가도 부강해질 텐데, 묘책은 떠오르지 않는다.

사람의 연령으로 친다면, 내년은 21세기의 성년이 되는 해다. 한 달 열흘 남은 기해(己亥) 년을 잘 마무리하고, 희망의 경자(庚子) 년엔 모두가 축복을 받으시길 간절히 바란다.

2019.11.20.

어린 시절 한문(漢文) 추억 2

'어린 시절 한문(漢文) 추억 1'에서 운을 뗐던 그 수수께끼 문제 이야기이다. 한자는 외국어뿐 아니라 한글을 바르게 아는 데도 유용하고, 논술형 글, 기획 등에 이르기까지 삶에서 다양하게 활용된다는 것은 알고 있지만, 잘 모르니 한글을 잘 못 쓰고, 잘 못 읽는 경우를 종종 볼 수 있다.

그러나 한자를 배우기는 쉽지 않기 때문에, 어린 시절 장난감 놀이처럼 조립하고 분해하는 식의 놀이로써 한문을 친근하게 하는 것도 유익할 것이다.

왕자가 사냥을 나갔다가 숲속 외딴집의 아리따운 처녀를 발견하여, 한 번 만날 수 있겠냐는 쪽지를 보내니까, 그 처녀는 "國無城木入門 … 二日二時五(국무성목입문 … 이일이시오: 혹시 한가하면 오십시오)"라고 쪽지를 전달함으로써, 데이트 승낙을 한 것같이 파자 유행은 오래됐다.

달포 전의 그 수수께끼 문제를 다시 보면, "萬物之靈下 人間之最 三蛇走 各抱一卵 我弓側不短 金右易 一鳥飛几中" 즉, 퇴근(퇴궐) 하자마자, 정승 부인이 내민 이 글을 받은 정승은 바로 "전주(에 사는) 장석봉이라…" 하는 게 아닌가!

바둑에서 하수는 '수 읽기'라 하지만, 고수는 '수 보기'라 하여 생사와 형세를 한눈에 알아보듯이, 이 정승도 보자마자 바로 알아본 것이다.

만물지영(만물의 영장)=人(사람), 下(아래), 인간지최(인간의 최고)=王(왕) →全(전).
삼사주(세 마리의 뱀이 달린다)=川(천), 각포일란(각각 알을 하나씩 품고) →州(주).
아궁측 부단 (내 활 옆이 짧지 않다=길다)=弓(활)+長(장)=張(장)
금우역(金 오른쪽에 易)=錫(석)
일조비(한 마리의 새가 날고 있다)=一鳥(일조) +几中(궤 안에) →鳳(봉).
[전주 장석봉]이 된다.
참 쉽죠~잉!

정승 집 높은 담을 사뿐히 뛰어넘어 갔다가, 나올 때 지필묵을 보고, 부인에게 써 준 자는 '전주에 사는 장석봉'이라고 대담하게 자기의 신분을 밝혔던 것이다.

다음은 만석꾼의 사랑채에 장기 투숙해 있던 식객이 떠나면서 써 준 글이다.

"配年朋半一怨無心 首陽山下桂月仙"

이 글을 받아 든 만석꾼은 '기유년 2월 보름날 죽는다'라는 것까지는 해석해 깜짝 놀란 것이다.

배년(配年)=기유년, 朋(붕)=2월, 반=보름, 일원무심{一怨 - 心=死(사)}
▶☞기유년 2월 보름날 죽는다.

그의 한자 실력은 거기까지이고, '수양산하계월선'은 무슨 말인지 도무지 해석을 할 수 없어, 글깨나 안다는 자들을 찾아다니며 물어보았으나 명쾌하게 답변하는 자는 없고, 때는 바야흐로 무신년 연말이라 기유년이 코앞인데, 그 많은 재산도 필요 없고, 한 달 반만 지나면 죽는다는 생각을 하니 고민이 깊어지고, 도저히 견디지 못해 날마다 술로 보내게 된 것이다.

매일 술에 취해 살다 보니 마침내 '기유년 2월 보름날'이 됐는데도 모르고, 그날도 술에 만취되어 기생집에서 잠을 청하다가 창문으로 보이는 보름달과 그 아래의 산이 한 폭의 그림처럼 수려한지라, 옆에 있는 젊은 여인에게 물어보았다.

"애야 산 위에 보름달이 참 밝구나, 저 산 이름이 무엇이냐?" 하니, 그 여인 왈 "수양산이라 하옵니다" 하는 게 아닌가. 만석꾼은 그 말을 듣고 술이 확 깨면서, "뭐? 수양산?" 하며 "그럼 네 이름이 '계월선'이냐?" 하니, 그 여인은 "어떻게 제 이름을 아십니까?" 하는지라, 만석꾼이 "여봐라! 이년을 당장 끌어내어라" 하니 경호원들이 달려들어 그 여인을 마당에 꿇어앉혀 놓고, "네 이년! 왜 나를 죽이려 했는지 이실직고하렸다" 하였다.

그 여인은 “네놈을 오늘 죽여 아버지의 원수를 갚아야 하는데, 원통하고도 분하다. 20년 동안 비수를 품고 네놈 죽일 기회를 잡았는데 억울하다!“ 하는 것이다. 만석꾼은 “네 아비의 이름이 무엇이냐?” 하니, “아버지는 ○○○씨다. 알겠느냐?” 하는지라,

만석꾼이 생각하니 20년 전, 자기 때문에 그자가 억울하게 죽었다는 것이 떠올라, 마당으로 내려가 그 딸에게 회개하며 용서를 구했고, 상당한 재산을 그 여인에게 주고, 결국 해피엔딩으로 끝난다.

주위에 많이 베풀고 살아온 만석꾼이기에 사랑채 식객이 떠나면서, (기유년 2월 보름날 수양산 아래 계월선에게 죽을 수도 있으니 조심하라) 귀띔을 해 준 덕에 소중한 목숨을 구한 것이다.

굳이 만석꾼이 아니라도, 밥술이나 뜬다는 사람은 위로만 보지 말고 아래와 주위도 살피면서, 굶는 사람은 없는지, 외롭고 괴롭고 슬프고 또 고달픈 사람이 없는지 돌아볼 때가 아닐까.

2019.12.29.

풍요로운 21세기라 하고, 하늘 높이 솟은 빌딩들은 많고, '재벌 몇 세다' 하며 갑질 놀이만 하며 사는 자도 있지만…. 날로 늘어나는 빚에 쪼들려 숨조차 제대로 쉬지 못하는 사람들에게도 축복이 함께하시길 소망하는 연말입니다.

딸랑 '종이 한 장'

등기 우편물이 도착했다길래 봉투를 열어 보니 '딸랑 종이 한 장'이었다. 귀한 시간을 투자하여, 14과목이나 공부하고, 시험도 치고 현장 실습까지 잘 마친 결과치고는 너무나 허전하고 민망한 생각까지 들게 한 '사회복지사 자격증'이었다.

그 흔한 것을 받아서 당장 뭐 취직이나 돈벌이가 되는 것도 아니고, 초저출생 초고령 사회, 100세 시대에 조금이라도 봉사할 수 있을 거라 생각해 시작한 것이나, 시간이 아까워 중도에 그만둘까를 몇 번이나 생각했다.

사실 젊을 때 운전면허증을 따거나, 사무관 시험 합격의 기쁨도 종이 한 장이었고, 판검사, 장관이나 대통령도 종이 한 장으로 막중한 권한과 영예와 임무를 부여하는 것은 맞다. 지금 국회의원이 되려고 열심히 뛰고 있는 자들도 '당선증'이라는 종이 한 장을 받기 위함이고, 그전에 정당 추천서를 받으려고 안달인데, 그것도 종이 한 장이다.

그러나 오늘은 정월 대보름, 남의 얘기하지 말고 너나 잘하란다. 귀밝이술도 안 마셨는데도 귀띔해 준다.

자격증이 중요한 게 아니고, 사회복지를 위해 무엇을 할 것인지를 생각하고 실행하라고 말하고 있다.

딸랑 종이 한 장이.

번개팅

"박 사장-! 별일 없제-!"
목소리가 유난히 밝고 유창하다.

우리는 사전에 예약하지 않는다.

함께 7월 3일 입대하고, 한 훈련소,
한 내무반에서 족빵이 치다가
삼 년 후 5월 18일에 제대한 삼총사다

가뭄 땡볕에 흙먼지 마시며
까라면 까고 뽑으라면 뽑고 뒹굴다가

강원도로 경기도로 뿔뿔이 흩어졌고
생사도 모른 채 고군분투하다 다시 조우한 것이다.

만나면 그 시절 이십 대로 돌아가
"김일성 대포알 밑에서 고생했다!" 개폼 잡고

질풍노도 같은 시절 회상이, 원샷하는 데 힘을 싣고

반세기 전 청년으로 번개처럼 회춘하는 것이다.

아직도 귀여운 청바지* 녀석들!

---

* 청바지: 청춘은 바로 지금.

오래된 잣대들

연세 드신 분이 나의 얼굴을 자세히 보시며, '너도 늙는다 야!' 하며 탄식조의 말을 하신 적도 있었다. 아마 나를 아직도 청소년쯤으로 기억하고 있었던 것 같았다. 정도의 차이는 있겠지만 누구나 다 고정관념과 잣대를 가지고 있을 것이고, 색안경을 끼고 보는 경향도 적지 않을 것이다.

코로나로 미국 뉴욕에서만 하루 799명이 사망하며, 시신 안치할 곳도 부족해 '하트'섬에 집단 매장하는 사진이 보도되었다. 우리나라가 참 잘 대응하며, 불철주야 노력하는 분들에게 감사하면서, 이참에 함께 짚어 봐야 할 것들이 있다.

수십 년 전부터 변함없는 가축전염병 대책으로서, 법정전염병이 발병하면 주위의 모든 가축을 살처분하는 것이다. 수십만에서 수백만 마리의 닭과 오리, 돼지 등을 거의 (생) 매장해 버리는 것인데…. 주변의 토지와 지하수까지 오염시키고 인근 농지까지 버리는 환경을 어찌할 것인가.

좁은 국토에, 잘못된 관습에서 엄청난 면적의 묘지가 국토를 잠식해 버린 현실에, 병들거나 우려되는 가축까지 국토를 훼손하며 매몰하는 것이 과연 옳은 처방일까?

오래된 잣대를 21세기에 그대로 적용하는 것은 난센스다. 벌겋게 녹슨 고철 덩어리도 용광로에 넣어 고급 철강재를 뽑아내고, 시커먼 기름 덩어리(원유)도 정제하여 고급 휘발유와 수많은 석유제품을 만드는데…. 살처분하는 가축도 멸균 처리한다면, 얼마든지 좋은 물질을 추출해 낼 수 있다고 본다. 4차 산업혁명이니, 5G 시대니 하는 수준까지 왔는데 얼마든지 가능할 것이다.

땅에 묻는다고 바이러스가 어떻게 될까. 죽지 않겠다고 발버둥 치는 가축은 그냥 죽기만 할까. 엄청난 발악과 저주 속에 변종 바이러스가 생성될 가능성도 전연 없을까. 흑사병도 코로나 사태도 아마 인간들이 원인 제공을 했을 개연성이 없을까.

'법도 공포와 동시에 이미 구법(舊法)'이라고 하지 않는가. 입법과 공포 과정에 이미 상황은 변하고 있기 때문일 것이다. 오래된 낡은 잣대를 전가의 보도처럼 휘두를 게 아니라, 쾌적한 지구, 살만한 인류 사회를 위해 생각을 싹 다 바꿀 때다. 발전된 기술을 잘 활용토록 잣대를 손질해야 할 것이다. 법은 현실에 적합해야 한다.

2020.4.12.

인생 세 가지 불행(不幸)

예로부터, 사람에게는 세 가지 불행이 있다 했다(人有三不幸 인유삼불행).

1. 어린 나이에 과거(높은 자리)에 오르는 것(少年登高科 소년등고과)

2. 부모형제 찬스(백 그라운드)로 좋은 벼슬(자리) 하는 것(席父兄之勢爲美官 석부형지세위미관)

3. 재주와 문장에 뛰어난 것(有高才能文能 유고재능문능)이다

일견하여 부러워할 것 같은데 왜 불행이라 했을까? 자기는 특별한 사람이란 자긍심에 가득 차, 자만과 교만으로 변하는 것을 경계한 글이 아닐까.

모 지자체장의 전격 사퇴 소식에 놀라고 안타까웠다. 고시로 관직에 올라 우여곡절에도 오뚝이처럼 일어났으나 이제는 다른 상황이다. 순간적인 실수였을까? 허망할 것이다. 모두가 꿈이었나 할 것이다.

오늘은 법의 날! 법을 만든다는 국회의원에 당선된 자들, 법을 집행하는 검경과 법원 나리들, 제4부라는 언론과 주변인들, 재벌과 기업인들, 예술, 스포츠인들, 정치권에 떠벌이는 사람들은 물론, 우리 모두가 스스로 되짚어볼 필요가 있을 것이다.

사람들(人)을 보고, 나(己)를 점검해 봐야 할 시점이다.

2020.4.25.

경락우애엄(敬樂憂哀嚴)

우리 대중가요에 "사는 게 뭐 별거 있더냐 '욕 안 먹고' 살면 되는 거지…"라는 가사가 나온다. 나는 부끄러워서 그런 노래를 부를 수 없고, '욕 좀 먹고'로 바꿔 부를 수는 있을 것 같다. 사람이 살면서 어찌 욕 안 먹고 살 수 있겠는가.

성인군자인들 사람이라, 더러 욕도 먹었을 거라 본다. 신(神)과 무한히 가까운 존재인 사람, 그러나 인간은 '원죄' 따위의 거창한 담론을 제외하더라도, 적잖은 실수와 실패와 과오를 범할 수 있을 것이기에.

수많은 잠언과 격언과 금언들이 회자되어 왔다. 어버이날을 맞아 부끄럽지만 '효(孝)'를 생각해 본다. 사람들이 자기의 손주들은 그렇게 귀엽고 깜찍하다고 위하면서, 부모와 조상들에게는 어떻게 하는지 돌아볼 수 있었으면 좋겠다.

예로부터 '효(孝)'가 최고의 덕목이고 치국(治國)의 근본이라 했다. 그러나 자기 아버지를 낳아 애 터지게 노심초사 길러 준 할머니의 성함은 고사하고, 성씨조차도 모르는 자들이 의외로 많아 놀란 적도 있다. 자기 부모만 알면 되고, 그분들을 낳아 길러 준 조부모님을 모른다 해서 되겠는가.

드물기는 하지만, '재실(齋室)'이나 '제실(祭室)' 같은 데서 '敬樂憂哀嚴(경락우애엄)'이라는 글을 볼 수도 있을 텐데, 한번 다시 보자.
"어버이를 섬김에 있어, 일상생활에선 공경하는 마음을 다하고(居則致

其敬 거즉치기경)
봉양할 땐 부모가 즐겁도록 다하며(養則致其樂 양즉치기락)
병이 났을 땐 근심을 다하여하고(病則致其憂 병즉치기우)
돌아가셨을 땐 슬픔을 다하도록 하며(喪則致其哀 상즉치기애)
제를 지낼 땐 엄숙함을 다해야 한다(祭則致其嚴 제즉치기엄)."

이천 년도 더 지난 오래된 '효경(孝經)에 나오는 구절이지만 새겨둘 필요가 없을까…. 그러나 모든 일이 그렇듯이 건강을 떠나서는 아무것도 할 수 없기에, 자신의 심신을 잘 다스리는 것이 효의 첫 번째 조건이 될 것이다. 자녀의 건강과 행복이 부모에겐 축복이 되기 때문이다.

2020.5.8.

족보(族譜) 발간 단상(斷想)

누군가는 해야 하겠지만, 아무나 할 수 없는 것이 족보 제작인가. 가정의 달인 5월에 집안 족보가 제작 완료되어 감회가 새롭다. 36년 만인 오늘 새 족보를 받아 보며…. 헌신하고 협조하며 노력하신 모든 분께 감사의 마음을 드린다.

1857, 1925, 1956년도까지 발행한 것은 한지로 두껍게 된 것인데, 1984년판부터는 양장본으로 했고, 이제 2020년판(庚子譜)과 인터넷 족보를 만든 것이다. 한 세대를 30년으로, 30년 주기 족보를 발간토록 규정하였으나, 쉬운 일은 아니다.

세상도 많이 바뀔 것이다. 효에 대해서는 2,500년 전의 공자 시대 '효경'을 많이 인용하고 있으나, 그보다 약 1,000년 전에 모세가 받은 십계명에도'효'를 명시하고 있고, 구약에도 많이 기록된 것을 볼 때 '효'는 인류의 시작과 함께 율법처럼 덕목이 되어 온 듯하고, 성경에도 족보가 기록되어 있다.

창세기(創世記: GENESIS)에 따르면, 창세기 인물들은 평균 900세를 넘게 살았으나 인간이 강포해져 노아의 홍수로 벌을 내려 멸하고, 이후에는 120세로 수명을 제한한다는 기록이 있다(실제 보호막이 없어져 환경 변화로 명이 단축되었다는 설도 있음).

그러나 인간들은 여러 가지 요인으로 평균수명을 더 단축해 온 것 같고. 그러다가 최근에 수명이 늘어나면서, 우리나라에도 100세 이상 인구가 2만 명이 넘어서며 증가 일로에 있음을 볼 때(올 4월 말 한국 100세 이상: 2만 913명), 수명 120세까지 천수를 다하는 사람이 얼마나 많이 나올는지 관심이 높아졌다.

인간이 살 만해졌다고 환경을 파괴하고 오만방자하여 남을 헐뜯고, 막말하는 사악한 자들을 보다 못해 코로나를 이 땅에 보낸 것일까…. 오늘은 소만(小滿)으로 보릿고개를 넘기는 막바지 시점이라 코로나 고개도 조만간 넘어, 좋은 절기를 누릴 자유를 회복하고, 후손들에게 좋은 환경을 만들어 줄 수 있길 기원한다.

농번기라 바쁘겠지만, 주말부터는 '윤사월'이라 '보너스 달'로 생각하며, 느긋한 마음으로 5월 하순을 살아 냈으면 좋겠다.

2020.5.20.

대중가요 단상(斷想)

옛날에 지방 민심과 풍속을 살피기 위한 기술(체크리스트)로 찰풍 오술(察風五術)을 적용한다면, 맨 처음 나오는 게 '노래를 듣고서 그들의 슬픔과 즐거움을 살핀다(聽謠誦, 審其哀樂 청요송심기애락).'

'그들이 즐겨 부르는 유행가를 들어 보면 애환과 낙을 안다'는 뜻일 것이다. 그래서 노래는 시대마다 트렌드와 민심을 노출하는 도구가 되어 왔을 것이다. '가수는 노래 따라간다' '말이 씨가 된다 '는 말이 있듯이 곡은 좋으나, 가사 때문에 부르기 께름칙한 노래들도 있고, 불러서 행운이 왔다는 노래도 있다.

동요나 동시를 부르며 성장해야 할 어린이를 불러내어 '초근목피… 한 많은 보릿고개여~' 하는 애잔한 노래를 부르도록 하고, 좋다고 손뼉 치고 노는 장면은 참으로 웃프다. 돈이 좋지만, 너무 밝히면 다 망가지고 추해질 텐데.

2020.6.6.

입춘 단상(立春斷想)

언제부터인가 토요일이 쉬는 날이 되어 매주 연휴를 향유하게 되었는데, 늘 그랬듯이 휴일 전날과 휴일 후의 심경은 달랐고, 설 연휴도 그랬다. 전날엔 한없이 홀가분하고, 넉넉한 듯, 몸살기가 좀 있긴 해도 좀 더 여유롭게 쉬면서 못다 한 일도 할 수 있을 거라 생각했다.

그러나 연휴 첫날부터 일들이 생기고, 둘째 날부턴 세배를 하고 받고, 저녁 먹고 영화까지 보며 번잡한 일상을 보낸 터라, 마지막 날은 비가 내리며 바람까지 휘몰아치길래 집에서 조용히 심신을 쉴 수 있겠다 싶었는데, 느닷없이 들이닥치는 손님이 있어 4일간의 연휴는 그렇게 먹고 마시고 떠들었으니 연휴 전날의 생각과는 전혀 다른 나흘이 된 셈이다.

그러나 남는 게 전혀 없는 건 아니었다. 을씨년스러울 거라 생각한 부산 시민공원을, 귀엽고 깜찍한 아이들과 함께 둘러보았고, 영화 '남산의 부장들'을 본 것은 괜찮았다. 장기간 미군부대가 점유해 있던 곳이, 시민에게 광활한 공원으로 제공된 것을 직접 밟아 보는 것은 감개무량했고 영화도 보니 격세지감이 일었다.

금기시돼 왔던 이야기도 일부지만 조금은 표현할 수 있는 세상이 된 것 같아, '미네르바의 올빼미가 날개를 펴는 날도 오겠구나' 하는 희망을 보게 되었기 때문이다.
그러나 인간 세상은 그렇게 순수하고 단순하지 않기에 쉽지는 않을 것이고, 신종 바이러스도 괴롭힐 것이다.

이제는 주말마다 연휴가 된 세상이라, 휴일도 인생의 30%가 넘는 대단한 비중을 차지할 것이므로, 보람 있게 보내야 할 것인데, 2월이 끝날 때쯤엔 어떤 심경이 될까?

바이러스 환난을 빨리 극복하고, 오는 새봄을 잘 맞아서 축복의 결실을 거두는 모두의 출발점이 되시면 좋겠습니다. 입춘대길(立春大吉)입니다.

2020.2.4.

노래 생각(塵想)

좀 오래된 우스갯소리 하나가 있다. '부모를 제외한 모든 생물을 요리할 수 있는 사람은 중국인이고, 세계에서 혓바닥이 가장 예민한 사람은 일본인'이라는 것인데, 물론 음식과 관련하여 과장된 표현이겠지만 각자의 상상에 맡긴다.

그럼 우리나라 사람의 특징은 무엇일까. 워낙 재능도 많고, 뛰어난 인물이 많아 다양한 견해가 있겠지만, 그중 하나는 '노래를 알고 즐기는 민족'이 아닐까….

가야 시대만 하더라도, 악사(樂師) 우륵(于勒)이 악기 연주, 노래와 춤을 따로 가르쳤고, 왕명에 따라 12가곡을 만들었다는 기록이 있는 걸 보면, 이전에도 상당한 수준의 전문적 경지에 이르렀을 거라고 볼 수 있다.

요즘에도 방탄소년단이 지구촌을 누비고 있고, 연주, 지휘, 성악 등 세계적으로 두각을 나타내는 분들이 적잖지만, 다른 장르는 두고, 대중가요만 하더라도 수많은 노래를 만들어 부르고 있는 것이다.

우리의 노래 중 소위 대중가요는 엄혹한 일제강점기에 부르기 시작한 노래이기에 희로애락을 함께하는 감정들이 색다르다. 꿈꾸는 백마강, 목포의 눈물, 유달산아 말해다오, 녹슨 기찻길, 눈물 젖은 두만강, 울며

헤진 부산항, 한 많은 대동강, 가거라 삼팔선 등은 노래 제목만으로도 우리를 숙연하게 한다.

'돌아가는 삼각지'와 '안개 낀 장충단 공원'은 '애틋한 애증과 회한'을 불러일으키고, '가슴 아프게'를 들으면 답답하던 가슴이 오히려 확 트이면서 후련한 것은 가수의 싱그럽고 청량한 특유의 음색 때문일 것이다.

슬픔도 정갈하게 터져 나올 때 기쁨이 된다고 했다. 사연이 담기지 않은 노래, 스토리가 없는 노래는 없는 것 같다. 남인수, 이난영, 이미자, 배호 하며 기라성 같은 가수들과, 2,700여 곡을 작곡한 박춘석 같은 불세출의 작곡가들도 있지만, 대단한 작사가도 있다.

1967년도 '마포종점' 노래가 발표되고 그다음 해에 전차 운행이 중단되자, 마포종점은 역사 속으로 사라지며, 여의도 비행장도 사라졌지만, 노래는 남아, 불리고 있는데, 노랫말을 만든 '정두수' 작사가가 없었다면, '마포종점'과 '덕수궁 돌담길'도 '흑산도 아가씨'와 '가슴 아프게'도 없었을 것이다.

그는 경남 하동에서 태어나 부산에서 학교 다니며 자랐던 노래 시인이다. 3,500곡을 작사하며 수많은 히트곡과 대형 가수를 만들었으니 작시(作詩)의 천재라 할 것이다. 주옥같은 그의 서정시는 심금을 울린다. 보통, 가수와 작곡가만 알고, 작사가는 그늘에 가려져 잘 보이지 않는 세태임에도 전국에 노래 비만 13군데나 있다니….

3,500편 시 하나하나마다 단편소설 한편씩의 사연을 품고 있을 것이다. 아무튼 많은 공적을 쌓고 가요의 격조를 높여 준 분들이 작고하셨다. 앞으로도 좋은 분들이 더 좋은 노래, 희망을 주는 가요를 만들고 불러 주길 기대한다.

오늘은 배호 노래가 듣고 싶고, 나훈아도 듣고 싶다. 남진의 '나야 나'는 내가 직접 부르고.

2020.6.26. 주말

핑계

메밀꽃 필 무렵의 본고장을 보고 싶다고
평창 대관령 봉평 찾고, 이효석 생가 들러
문학도인 양 감상에 젖어 보지만

내 속에 본심은 메밀묵에 막걸리 생각 간절한 것처럼

옥천사 소풍길 보고 싶다고 옥천 고개를 찾고
옛날의 보리수나무 뻘똥도 회상해 보지만

내 속에 본심은 도토리묵에 막걸리 생각 간절한 것처럼

친구들 만나 얼굴 보자 큰소리 떠들고
산성 막걸리가 좋니 생탁이 좋니 품평해 보지만

내 속의 본심은 청탁 불문, 목 안의 평화를 찾는 것뿐이라

이 핑계 저 핑계들만 불러다 곤장을 처대고는
입 싹 닦고, 나는 죄 없다고 뻔뻔하고 점잖게

군자 왈 하는 재미가 멋이라
오늘도 전과(前科) 하나 더 붙이려나

비도 오는데.

초(超) 단상(斷想)

'너무'라는 말도 지나치게 사용하지만, '초(超)' 자(字)가 남용되는 것은 아닌지. 초인(超人), 초자아(超自我), 초극단, 초호황, 초특급, 초호화 등으로 초 자가 들어가는 말들은 넘친다. 그냥은 뭔가 밍밍하고 '초'를 쳐야 맛이고, 때로는 '극' 자를 붙여야 폼이 나는 것인가.

'나라'도 그냥 '강대국'만으로는 성에 안 차 '초강대국(超强大國)'이라 한다. 2차 대전 이후 '대영제국'이 빠지고 '미''소'가 양립하다가, 소련 붕괴 후에는 '미국'만 유일하게 불리며 '극 초강대국(極超强大國)'이란 말까지 사용되기도 한다.

현재는 '초강대국'으로 중국이 미국과 함께 G2라고 불리게 되었다. 이미 '미국의 세기(世紀)는 끝났는가?'라는 논쟁에도, 당분간은 미국이 '극 초강대국'일 거라는 분석이다.

어쨌거나 우리나라가 문제다. 과거와같이 안에서 이전투구의 행태를 지속한다면, 같은 불행을 자초할 것이기에…. 일본이 조선을 삼킬 때 미국이 동의한 것 때문이라고만 생각해선 안 된다.

신라가 힘이 약하니까 비겁하게 중국(당)과 내통하여 이 땅을 짓밟게 하였고, 고구려 땅을 통째로 넘겨줘 버렸다. 전 국토를 유린당하고, 죽을 고생 끝에 겨우 조그맣게 회복하고는, 삼국통일을 했다고, 상황을 조작하여 역사를 짜깁기한 것 아닐까.

그 뒤 고구려 땅을 찾고자 병력을 주어 출전시켰더니, 간사한 군인이 전쟁을 겁내며, 회군하여 반역(쿠데타)하고, 중국에 머리를 조아리며, 못된 정권만 유지코자 함에, 고구려는 완전히 우리의 역사에서 지워져 버렸다고 한탄만 할 것인가.

국토뿐 아니라 고(구)려 문화까지 말살해 버림으로써, 중국인들이 감히 덤비지 못하던 '웅혼의 기상'마저 상실하고 비겁한 양아치들(?)만 양산하여 가짜 뉴스로 서로 모함하고 처형하기를 반복하며 '극초소국(極超小國)'으로 전락시켰을까.

부국강병은 망각한 채, 그 비겁한 피가 대를 이어 왕 노릇을 하며 피 터지는 당파싸움에 오백 년을 이전투구만 함으로써 다른 나라들이 서로 먹겠다고 덤빈 것일까.

미국으로선 아시아를 침투코자 필리핀에 군침이 돌아, 조선은 일본이 먹으라고 서로 밀약했고, 해방 후에도, 전범 국가인 일본을 독일처럼 반토막을 내고, 전범 두목 '일왕'을 처형하지 않고, 오히려 한국을 절반씩 잘라 점령토록 미국과 소련이 공모한 이유도 어떻게 기억해야 할까.

일본은 단합해 있고, 한국은 분열되어 보호해 줄 필요성이 없기에 잘라서 잔인하게 요리해 버린 것일까.

자기 국익에 철저한 미국을 잘 알아야 함은 물론, 우리를 돌아보아야 한다. 눈만 뜨면 정부의 일거수일투족에 비난과 모함으로 거짓, 공작할 것 없이 무차별 헐뜯는 행태는 결국 한국을 미, 일, 중, 러, 북한이 같잖게 보고 멸시하게 되는 이적행위와 다르지 않다. 8 · 15광복절을 맞아 경건하게 반성할 줄 모르고, 남만 헐뜯는 무리가 또 준동할는지 모른다.

통일이고 뭐고 필요 없이 반쪽 정권만 잡으면 되고, 빌붙어 나만 잘 먹고 잘살면 된다는 무리들과, 한국인의 정서 따위는 필요 없고, 친일파를 이용하여 미군정이 편한 대로 이용만 해 먹으면 되는 것이었을까.

이런 나라에 미국이 방어 라인(선) 하나를 잘못 쳐버려도, 남쪽은 정적 제거에만 혈안이 되어 모르고 자빠졌고, 북쪽은 통일할 절호의 기회라고 밀고 내려온 것이 아니던가. 민족상잔의 비극은 우리 민족이 자초한 것일 것이다. 외세에 빌붙을 착각만 할 것이 아니고, 남 탓만 할 것이 아니라 나 자신을 보고 물어야 한다. 나도 얼마나 역적인가 하고….

문제는 '나'일 것이다. 초회개, 극초회개를 할 수만 있다면, 독일보다 더 정직하고 애국적이고, 당당하고 신뢰받는 국민이 되고, 나라도 될 것이다. 독립운동에 모든 걸 희생하신 고귀한 분들과, 나라의 분단을 목숨을 던져 막으려 하신 거룩한 분들을 진정으로 추모하며 그들에게 보답하려면, 어떻게 해야 할까?

(초) 존경받는 국민까지는 아니더라도 남을 비난하지 않고, 이해하며 배려하는 사회, 국익을 생각하는 언론(기자)이 있다면 얼마나 좋을까.

이제는 초연결사회(超連結社會)가 이미 와 버린 어마어마한 세상을 살아가야 할 것이기에 더욱 그러할 것이다. 제75주년 광복절을 맞아 옷깃을 여미며, 모두가 초행복, 초쾌적한 삶이 되시길 간절히 소망한다.

2020.8.14.

한글과 우리말 생각

위대한 한글 창제에 대하여 고마운 마음을 가지고 있으면서도, 그 사용에 대해서는 안타까운 생각이 든다. 훈민정음에서 말한 '어리석은 백성까지 편하게 쓰기'가 잘 안되는 까닭이다.

초등학교만 졸업해도 잘 알 것 같은 한글과 한국어. 그러나 대학을 나와도 한글을 쓰고 읽는 게 쉽지 않은 것 같다. 이는 개인적인 부주의 등에 원인이 있겠지만, 조령모개식으로 바꾼다든지, 잘못된 규정을 만들고 들이대는 데도 그 원인이 있다고 할 수도 있을 것이다.

일례로 '~읍니다'를 없애 버림으로써 수많은 책이 '고문서'화 돼 버렸다. 맞춤법에 맞지 않은 '오자'가 수두룩한 가치 없는 책과 글들이 돼 버린 것이다. '습니다'만 표준어로 삼으니, '~있음' '없음'도 '있슴' '없슴' 따위로 잘못 쓰는 자들이 상당수가 되고, 아직도 '~읍니다'를 쓰고 있는 사람들도 많다.

인터넷 등에서의 장난치는 우스개 글이 아니고, 공적으로 쓰는 글에 관한 이야기다. '~시오'를 '~시요'로 잘못 쓰거나('어서 오십시요'라는 간판을 크게 붙여 놓은 관공서도 있었고), '~(로)서'와 '~(로)써'를 틀리게 바꾸어 쓰는 사람도 흔하고, 종교 지도자나 지위가 상당한 분들도 한글을 제대로 읽지 못하는 것을 흔하게 볼 수도 있다.

'환난(患難)'을 '활란'으로 발음하는 자도 적잖다. 아마 환란(患亂)과 같은 글인 줄 착각하는 듯하다. '꽃을'을 '꼬슬', '깨끗이'를 '깨끄치'로 잘못 읽는 서울 사람도 많다. 이런 개인적인 잘못으로 나타나는 '오기'와 '잘못된 발음'들은 예상외로 대단히 많은 실정이다.

또한 '맞춤법' '표준어 규정' 등을 만드는 사람들에게도 아쉬운 점들이 많다. 엄혹한 독재시대도 아닌 지금, 북쪽의 학자들과 교류하여 변질돼 가는 한글과 우리말을 바로잡아야 할 것이다.

일례로, 남쪽에서는 '오징어'라 하는데, 북쪽에서는 '낙지'라 부르는 것 등을 외면하고 있는 것은 올바른 학자의 자세가 아니다.

이러한 의사소통이 안 되는 언어가 수없이 많다는 것에는 학자들의 태만에 기인한 것이라고 본다. 당장 통일이 되더라도 언어의 혼란을 어떻게 감당할 것인가. 모든 법령을 비롯하여 서적과 음반과 영화 등의 예술에도 다 번역기를 들이댈 것인가.

이데올로기에만 매몰된 저속한 정치꾼들과 진배없는 학자가 된다면 부끄러울 것이다. '두음법칙' '사이시옷' 등도 재검토해야 할 것이다. 두음법칙을 쓰지 않는 북쪽과 장단점을 협의해 통일해야 할 필요성이 절실하다. '사이시옷'도 어렵다. 발음만 된 발음으로 읽어 주고, 어려운 '사이시옷'을 없애면 어떨까. 그게 더 혼란스러울까, 편할까.

경제력, 한류 등으로 위상이 향상되어 세계에서 한국어를 배우고자 하는 자(나라)들이 많이 늘어나고 있는데, 우리가 '조령모개'식으로 규정을 바꾼다든지 모순된 어법과 예외 규정을 많이 두는 것은 지양해야 할 것이다.

잘라 내치기만 할 것이 아니라 어휘도 풍부하게 늘려 나가는 것도 중요하다. 누구나 상식적으로 공감하는 '한글'과 '한국어'로 바로 세워야 할 필요성과 중요성과 시급성을 공감하여 다 같이 지혜를 모아야 할 것이다.

'언어는 정신의 지문'이라 했다. '한 나라 한 민족의 정체는 모국어에 담겨 있다(최명희)'고 했다. 더 축복받는 시월이 되길 기원하는 마음에서 어리석은 백성이 해 본 생각이다.

2020.10.

사소하지 않은 것들

'뭣이 중한디'
사람의 생명보다 소중한 것이 있을까…. 사소하다고 단정해 버리는 것 가운데도 실은 사소하지 않은 것들이 많다.

엘리베이터에 들어가다 추락사하거나 주차된 차량의 앞뒤로 뛰어나가다가 질주하는 차에 목숨을 잃는 것, 파란 불만 보고 횡단보도를 건너다가 무단 질주하는 차량에 변을 당하거나 인도에서 버스를 기다리다 돌진해 오는 차에 생을 마감하는 예도 있다.

'사소한 것에 목숨을 거는 것'도 무모하지만 앞에 열거한 것들은 사소한 것이 아니다. 엘리베이터 문이 열렸더라도 바닥이 있는지 반드시 보고 타야 하는 중요한 것을 외면한 것이고, 다른 경우도 처신을 안이하게 한 것이라 할 수 있다.

얼마 전 있을 수 없는 일을 나도 당했다. 이동하며 떨어지는 것을 받으려다가 그만 돌담에 머리를 부딪힌 것이다. 뜻밖의 강한 충격에 정신이 없었지만, 큰 변을 모면하고 치료할 수 있었다.

꿈에도 생각할 수 없는 어처구니없는 일이 순식간에 닥쳤고, 불행 중 다행이라 감사하고 또 감사했다. 미약한 인간의 생명을 돌아보는 계기가 됐었다.

밀림의 왕자인 맹수도 조그만 기생충에 의해 죽는데, 나약한 인간이야 말해 무삼하리. 개선장군 뒤에서 '메멘토 모리'를 외치게 하여(너도 죽을 수 있다), 교만을 경계하고 겸손해지라'는 로마의 옛 풍습도 예사롭지 않게 떠올랐다.

낙엽이 흩날리는 만추 지절에 '시몬'이니 '테스'니 찾으며 함부로 낙엽을 밟다가 낭패당할 수도 있다는 것도 염두에 두어야 할 것이다.

오늘따라 모처럼 가을비가 강풍을 동반하며 산야를 적시고 있다. 사소하지 않은 놈일까.

2020.11.19.

닭 잡는 데 쓰는 것

수원 화성(華城)을 쌓고 나니 물었다. '어떻게 돌 하나도 남지 않고(신통하게), 모자라지도 않게 성을 축조할 수 있었느냐'고. 다산은 '割鷄 毋用牛刀也(할계 무용 우도야: 닭 잡는 데 소 잡는 칼을 쓰지 않았을 뿐입니다)'라고 겸손하게 대답했다고 전해져 온다.

임금의 지시라고 하여 온 백성들을 부역으로 동원하여 닦달하고, 온 돌을 다 파내어 법석을 떨 수도 있는데, 다산 정약용 선생은 백성에게 피해를 주지 않고자 했고, 거중기 등을 발명하여 인력을 최소화하며, 공기(工期)를 단축하였다. 당시 최신 공법과 신기술을 개발하여 다목적으로 활용 가능한 명품 축성을 한 것이다.

그뿐만 아니라 다산은 다양한 재능을 가진 불세출의 인물이라 평가되고 있다. 실학의 집대성자, 뛰어난 서정시인, 절세의 편집 기획자, 전방위적 지식 경영가, 경세치용의 경세가, 의약 학자, 언어학자, 유능한 행정가, 탁월한 논변가, 거중기 등을 고안하여 화성을 쌓은 과학자, 지리학자, 민주주의의 선구자, 전무후무한 통합적 지식인 등등.

'무불통지(無不通知)'로 알려진 그에 대한 수식어는 넘친다. 이런 인물도 당파싸움에 휘말려 몇 번의 죽을 고비를 '정조대왕'이 구해 주었다. 변방으로 쫓아 피신케 했다가 필요시 불러서 그의 재능을 발휘케 했다. 그의 천재적 재능을, 훌륭한 임금은 알고 아꼈다.

그러나 정조가 갑자기 승하하자(독살?), '노론파'에 의해서 18년간 유배되었다. 뛰어난 임금과 천재적인 신하의 관계는 애석하게 적폐 세력에 의하여 파국을 맞고, 나라 발전의 기회는 사라지게 됐다.

그러나 다산은 500권이 넘는 저서를 남긴, 나라와 백성을 위한 충신이었다. 논어의 글귀를 원용하여 割鷄, 焉用牛刀?(할계언용우도: 닭 잡는데 어찌 소 잡는 칼을 쓰겠느냐?) 겸손하게 답했다고 하겠으나, 공직자를 포함하여 모든 사람이 배우고 각성하면 좋을 것이다. 무소불위의 권력을 가진 검찰을 보며 많은 국민들은 생각할 것이다. 과연 칼을 잡을 자격이 충분한 집단인지, 막무가내로 휘두르는 자들인지, 만만한 자들만 잡고… 패는 놈만 패는 집단인지.

찍힌 한 사람을 잡기 위해 수십 명의 검사를 투입하여 몇 달을 넘기며 후벼 파도 괜찮은 것인지, 돈 많은 자와 적폐 언론 사주의 죄는 다 근거가 없고, 혐의가 없다는 이상한 잣대를 가진 자들인지.

재벌과 부패 권력과는 친해야 재미 본다는 철칙과 신념을 가진 자들인지. 그들만의 폭탄주와 충성 맹세의 구호만 외치는 집단인지. 물론 말없이 본연의 임무에 충실한 분들이 더 많겠지만…

굶어 죽을 판국에 빵을 훔쳐먹은 자는 잡아 가혹하게 처벌하고, 자기들은 하룻밤에 수백만 원어치를 얻어 둘러 마셔도, 1인당 99만 원까진 아무런 죄가 되지 않는다는 희한한 '청렴결백'의 잣대를 뽐내며 당당한 모습.

다산이 살아 있다면 뭐라고 할 것이며, 백성들은 어떻게 보고 있을까…. 다산의 '일표 이서(一表二書)'도 못 본다면 '흠흠신서(欽欽新書)'만이라도 다시 보고, 겸손과 기본을 갖출 필요가 있을 것이다. '조자룡의 헌 칼 쓰듯'하는 것도 때와 장소가 있는 것이다. 칼을 쥔 자가 나대는 것은 꼴불견이고 자기도 다칠 수 있다.

부단히 자성하고 바르게 처신한다면 코로나가 창궐하는 이 엄동설한에 배고픈 서민도 서러움이 덜할 것이다. 백성은 언제나 '환불균(患不均)'으로 분노하고 몸서리치기 때문이다.

2020.12.19.

생각을 바꾸어 볼 때

앞에 아무것도 보이지 않을 때 절망하는 사람도 있고, 앞날이 너무 밝아 눈부시기에 잘 보이지 않는 것이라고 희망적 생각을 하는 사람도 있다.

그렇게 밉게 보이던 사람도 어느 날부터 좋게 보이고, 존경하게까지 되는 경우도 있다. 다른 쪽에서 보면 치졸하고 저속하게 보이는데도 잘하고 있다고 착각하는 것 등등 고정관념이 깊게 박혀 있을수록 편견과 오류와 독선으로 가득해지기 쉽다.

우주에서 보면 지구는 존재감도 없겠지만, 그 조그만 지구를 사람들이 보면 엄청나게 거대한 것이다. 6대 주라며 대륙으로 지칭하지만 지구 표면적은 바다가 70% 이상이기에 30%도 안 되는 육지는 바다에 떠 있는 섬 조각들이라 할 수도 있을 것이다.

8,000미터 이상 되는 산들을 대단하게 보지만, 바다 밑 1만 미터가 넘는 깊이에 비하면 많이 짧다. 땅 위 식물이 산소를 다 만들어 내는 것으로 생각하겠지만 산소 생산의 70%는 바다의 해조류와 미생물이 만든다.

소금기로 바다가 썩지 않는다고 하지만, 실은 산소가 풍부하기에 그 많은 동식물이 우리의 식탁을 풍요롭게 해 준다. 해양에는 30만 여종의 생물군이 분포되어 재생산력이 육지보다 5배가 훨씬 넘는다니, 놀랄만한 사실이고 심해의 수압은 지상의 기압보다 천 배가 넘는데도 고기와 생물들이 많이 살고 있다니, 감사하고 또 감사해야 할 것이다.

그러나 일만 미터가 넘는 그곳까지도 플라스틱 용기와 사탕 봉지가 발견되고, 반투명 갑각류 몸속에 미세 플라스틱이 발견되고 있다니 통탄할 일이고, 떼죽음으로 고기들의 사체가 바닷가에 자주 발견되는 것은 온난화로 산소가 부족하여 나타난 현상이라 한다.

그러나 교만하고 무례한 인간들은 환경을 마구 훼손하며 버리는 엄청난 오물과 분해되지 않는 플라스틱 등으로 육지뿐 아니라 바다를 죽이고 있는 것이다. 고래를 비롯한 큰 동물들도 플라스틱을 먹고 죽어 가고 많은 양의 고기 속에 있는 플라스틱을 사람이 먹고 질병으로 망가져 가는 현실이 다가왔다.

어쩔 것인가. 이 와중에 COVID-19가 전 세계를 휩쓸고 있는 것도 지구의 종말을 경고하는 예고편일 것이다. 그러나 생각을 바꾸어 보면 행동도 달라지고, 2050년엔 인간이 살 수 없을 거라는 지구도 살려 낼 수 있을 것이다.

고교 동기에게 '이놈아, 생각 좀 하면서 세상을 봐라' 했다는 청년이 세계 초일류 기업을 만들지 않았던가.

1월이 절반을 지나는 선달 초나흘 미세먼지도 매우 나쁜 주말이지만 좋은 생각으로 바꾸어 보고 싶다. 모두가 살기 좋은 세상을 신축(新築)하여 건강과 축복이 가득한 辛丑年이 되길 소망한다.

2021.1.16.

인물 단상(斷想)

후덕한 만석꾼의 사랑채에 머물던 식객이 떠나면서 써 준, '2월 보름날 죽는다(朋半一怨無心)'는 글귀를 보고 만석꾼은 놀랐지만, 덕분에 그날 죽음을 면하고 화해할 수 있었다. 물론 '언제 어디서 누구에게 죽을 수'있다는 글을 거두절미한 것이다. 옛날 고사(古事)지만 그날이 되면 나는 긴장이 좀 되는 편이다.

금년 2월 보름에도 큰 족적을 남기신 분이 89세로 별세하셨다는 부음을 듣고 안타까운 마음으로 명복을 빌면서도, 또 89세로 세상을 떠난 인물 한 분이 연상됐다.

걸출한 인물들이 많던 르네상스 시대의 조각가, 건축가, 화가, 시인이었던 위대한 인물 미켈란젤로 부오나로티. 그의 수많은 작품 중에 '시스티나 성당 천장화, 벽화'를 볼 때 과연 사람의 작품일까 하는 생각이었다.

600제곱미터나 되는 넓이는 180평도 넘어, 논 한 마지기 정도 되고, 평지도 아닌 높이가 20미터나 되는 아치형 건물 천장에 그림을 그렸으니…. 그 엄청난 규모는 보는 사람마다 압도당하지 않았겠는가.

벽에 바른 회반죽이 마르기 전에 물감을 빨리 칠해야 하는 '프레스코화'는 이름이나 들어 봤나. 시간과의 싸움이었다. "잘 보이지도 않는 구석진 곳에 인물 하나를 그리는 그 고생을 하나? 누가 안단 말인가?" 했을 때 그는 "내가 알지!"라고 하며 대단하고 웅장한 그림을 완성한 것이다. 수많은 조각, 건축물, 회화뿐만 아니라 편지 500여 통, 시 300여 편, 수백 장의 초벌 그림과 드로잉도 남겼단다.

우리 조상들이 임진왜란을 겪기 전 1564년에 그는 '신과 같은 사람'이라고도 불리며 많은 일화와 함께 미완의 작품들을 남긴 채 긴 생을 마감했다. 시기하고 모함하는 자도 없지 않았겠지만, 경쟁자에 대한 오기도 있었던 것 같다. '위대한 자'라고 불리던 그의 양부와 또 다른 그의 후원자가 없었다면, 그렇게 위대한 인물이 될 수 없었을지도 모른다는 생각이다.

우수한 우리 민족도 그렇게 시기하고 모함하며 싹을 자르지만 않았다면 그보다 더한 인물이 나왔을지도 모른다. 어느덧 우수가 이틀 앞으로 다가와도 아직 정월 초닷새밖에 안 됐으니, 심기일전해야 할 시점이다. 어려운 시절이지만 모든 분의 건강과 축복을 기원한다.

2021.2.16.

잃은 것과 얻은 것

한동안 간병에 시달렸더니 달라진 게 많았다.

예부터 '우환이 있는 곳에서는 그 바름을 얻지 못한다(有所憂患則 不得其正 유소우환즉 부득기정)'고 했다.

텃밭으로 나갔더니 그 많던 매실이 하나도 없다.
노랗게 익어 떨어져 땅바닥을 물들이며 썩고 있었고.

많이 떨어졌다 감도 석류도. 넘어지고 자빠지고
토마토도 가지도 오이도 드러누워 버렸다.

우여곡절 회복 중에 하늘은 또 물벼락을
사정없이 쏟아부었다.

많은 것들을 잃었다.
시간도 일도 채소도 과일도.
그러나그것은 귀한 깨달음을 주었다.

본래 내 것은 하나도 없었고 모두 다 하늘이 준 선물이었다.
잃은 것은 없고, 얻은 것들이었다.

내가 잘해서 만든 것이 아니라 모두가 축복이고 은혜였음을
깨닫고 또 감사한다.

진군(進軍)

누가 어두운 산책로에 검은 선을 그었는가
괴이하여 자세히 보니 움직인다

실로 어마어마한 행렬은 족히 백만 대군이다!
인해전술을 능가하는 의해전술(蟻海戰術) 인가

서쪽 숲에서 나와 동쪽 숲까지, 점령으로 끝난 줄 알았는데
다음 날 아침엔 동쪽 숲에서 더 동쪽 숲으로 전력투구하고 있다

어제는 중간 집결지까지가 목표였고, 전열을 가다듬은 다음
오늘은 최종 목적지를 향해 돌진한다는 그들의 작전 계획인가

'대중의 마음은 마침내 덕 있는 이를 따르고
하늘의 뜻은 마침내 사(私) 없는 이에게 돌아간다
(群心竟順有德者天命終歸無私人　군심경순유덕자천명종귀무사인)'했
듯이

무지하고 나태한 인간에게 시범을 보인 것일까
리더는 누구이며, 그들은 또 무엇인지

순리도 겸용(謙勇)도 행동으로 일깨워 준
개미군단 행군이 끝난 후, 큰 상급으로

하늘이 거룩한 비를 내려 대지를 씻고 감싸 안아 주었다.

안목(眼目)

안목은 무엇일까. 좋은 안목은 훌륭한 것들을 만들고 그게 없으면 불행을 초래케 하는가. 眼(안)도 눈이고 目(목)도 눈인데 눈을 진료할 땐 목과(目科)가 아닌 안과(眼科)를 찾아간다.

육체적인 눈이야 어느 정도 교정이 가능하나 실은 마음의 눈이 중요하다. 똑같은 현상을 보고도, 느끼고 깨닫는 것은 천차만별인 까닭이다.

청소년기, 운동을 한답시고 1 대 6으로 대련(對鍊)을 할 때가 있었다. 1 대 1도 쉽지 않은 게 대련인데, 짜고 하는 약속 대련도 아니고. 긴장을 안 할 수 없는 것은, 누구나 비장의 특기를 숨기고 있어, 한 방에 갈 수도 있기 때문이다.

물론 기본기가 정확하고 동작이 빨라야 6명과 대결이 가능하지만. 무엇보다 더 중요한 것은 눈이다. 빨리 읽고 상황에 대처해야 하는 안목이 필요하기 때문일 것이다.

아무튼 50년이 흐른 지금 운전을 하다가 가끔 회상하며 미소 짓는다. 그때 혼자서 6명을 읽고 상대한 것이, 지금 운전하면서 6대의 차량을 읽는 데 도움이 된다는 생각 때문일까…. 운전할 땐 앞차와 그 앞차까지, 좌, 우, 뒤, 내 차까지 최소한도 6대의 흐름은 읽고 있어야 하는데, 이것이 잘 안되는 사람은 사고 개연성이 높을 것이다.
고속도로나 일반 도로에서도 갑자기 끼어드는 자들과 역주행하는 자들까지 있고, 최소한의 교통법규도 안 지키고 예의도 없는 사람이 많듯이, 인간 세상에도 난폭 운행을 일삼는 자들도 많아졌다.

그들은 정상적인 안목을 가지고 있는 게 아니고 음주 마약을 했거나, 화가 났거나, 안하무인으로 눈에 보이는 것이 없거나 등등의 문제아가 아닐까.

좋은 점만 보고 배우는 사람, 나쁜 점만 보는 사람도 있고, 눈에 보이는 것은 다 '좌파'거나 '우파'거나 그렇게밖에 보지 못하는 자들도 많은 것 같다.

사람의 능력이나 됨됨이, 성실성은 보지 못하고 그들에겐 사람이 '파'로만 보이는 모양이다. 못된 언론과 SNS 등등의 원인도 한몫하겠지만, 나쁘게 세뇌된 자들은 거의 구제 불능일 거라 본다. 그들은 졸목(拙目)이면서 혜안(慧眼)인 양 착각하거나 착시인(錯視人)일 것이다.

"역병은 '우리가 누구인지를 비춰 주는 거울'이다(프랭크 스노든)"라고 했는데, 생태적 훼손을 자행하는 우리의 모습은 외면하고, 거울에 비친(불편한) 진실까지도 부정한다.

바꾸지 않는다면 당장 30년 후 지구는 거주 불능이 될 거라는 '웰즈'의 경고도 무시할 건가. 빙하의 해빙과 홍수, 산불, 오염과 질병은 이미 시작되었고, 빈곤, 가뭄, 살인적인 폭염, 반복되는 팬데믹, 트윈데믹이 코앞에 다가왔는데도, 남의 약점 캐기와 비난만 일삼는 자들이 좀먹고 있다. 안목을 키워야 할 시점이다.

소싯적, 친구에게 운동하는 목적을 물었을 때, 그 친구는 '중심을 잡기 위해서'라고 답했다. 의외의 대답이라 생각하면서도 '균형이 중요하겠구나' 하는 생각을 했었다. 서경에도 우 임금이 '사람의 마음은 늘 위태롭고, 도의 마음은 잘 드러나지 않는다. 오직 정밀하게 살피고 한결같이 지켜 그 중심을 붙잡아야 한다'라고 했다.

반세기가 지난 지금, 형편이 된다면 심신을 단련하여, 중심을 잘 잡아도 보고 싶은데, 어째 그런 여유와 형편은 아직 안 된다.

"인생의 성공도 (균형이 잘 잡힌) '안목'이 좌우한다"라면 지나친 억측일까. 이데올로기에 매몰된 자들에게 균형 잡힌 안목을 기대할 수 없지만, 한 가지만 말해 보라면 "귀하들의 안목은 팔만대장경을 보고 '아 그 빨래판 같은 거'라고 하신 할머니와는 비교도 안 되게 쓸모없고 천박하다"라는 것이다.

'말꼬리(트집)만 잡지 말고, 말 등에 직접 올라타 생각하면, 자신을 둘러싼 시공간이 바뀌는 기적을 만날 것'*이라고 하지 않았던가. 거리 두기 해야 하는 이번 추석엔, 꿰뚫어보는 혜안(慧眼)까진 아니라도, 옹졸

한 졸목(拙目)을 벗어나 좋은 안목(眼目)을 길러야겠다는 생각이다.

긍정적이고 웃음과 사랑이 가득한 폭넓은 안목(眼目)으로, 어렵고 힘든 시절도 잠시 잊고 모두가 행복한 한가위 보내시길 소망한다.

---

* 이어령 선생이 말한 '창조력의 핵심' 가운데. 2020.

나의 삶과 문학

동양 고전인 맹자 진심편에서, '공자는 태산에 올라 천하가 작다' 했고, '관해난수(觀海難水)'라 했다. 바다를 보았는데 어찌 물을 쉽게 말할 수 있으며, 번듯한 대학 국문학 수학도 안 한 자가 감히 문학이란 말을 할 수 있겠는가.

그러나 빌 게이츠는 '하버드대 졸업장보다 독서하는 습관이 더 중요하다' 했고, 스티브 잡스도 빌 게이츠처럼 대학을 중퇴했는데도, 둘 다 훌륭한 업적을 이룩한 불세출의 인물들이 되었다.

나 또한 내세울 것 없는 시골 출신으로, 5년제 전문학교 졸업도 부족하여, 다시 대학에서 행정학을 하긴 해도, 사무관 시험 따위에는 다소 도움이 됐는지 모르겠지만, 학교 등의 이력은 그렇게 결정적이거나 필수적인 것은 못 되고, 일생을 살아가는 데는 별도의 공부와 열정과 노력이 중요하다고 본다.

우리의 삶에서 다독(多讀)과 다상량(多商量)이 중요하다 했고, 다독은 동양 고전과 서양 고전을 먼저 읽는 게 좋다고 피력한 분도 계신데, 나도 그렇게 확신하며 다작은 그런 뒤에 무리 없이 이루어진다는 생각에는 변함이 없다.

미리 계획을 세워 태어난 사람이 있을까 마는, 나는 한국전쟁 중에 태어났다. 어릴 때 많이 죽던 시절, 좀 더 지켜보다가 한참 뒤에 살아 있으면 비로소 출생 신고도 하던 그때는, 인간의 존엄성이 거의 인식되지 않고, 한낱 가축보다도 더 나을 게 없는 시절이 아니었을까 하는 생각마저 든다.

아버지는 군에서 복무 중이셨고, 7년의 군 생활을 마치고 전역하셨을 때, 나는 좀 컸을 때라 태어나서는 주로 할머니와 가깝게 지냈다. 엄마는 대가족 식구 뒷바라지와 논, 밭일에 쉴 틈이 없었으니, 그냥 일꾼으로 일만 하시는 사람으로 보였고, 엄마 역시 나를 쓰다듬고 챙기고 할 엄두도 없었을 것이다.

다섯 살 때 흙 마당에 놀고 있는데 할아버지께서 불러 한자(漢字) 이름을 가르쳐 주시고, 내가 따라 쓰니까, 바로 주소와 본관과 예절, 한자 부수와 옥편 찾는 법을 일러주셨다. 그때부터가 내 글의 기초를 놓은 출발점이라 생각한다.

그 후 학교에 다니면서 친구와 한문에 관한 수수께끼 문제를 서로 주고받고 했는데, 그 친구는 나보다 책을 많이 읽고 아는 게 많아, 그로부터 많이 배웠다는 기억이 남아 있다. 김삿갓의 해학 정도는 많이 알려져 있었지만, 그 친구는 도무지 출처를 알 수 없는 문제로 나를 골탕 먹인 적이 많았다. 예로부터 파자(破字)가 유행했었는데, 글자를 분해하고 조립하는 재미에 장난감 놀이처럼 열중함으로써 한문 실력이 늘지 않았나 회고해 본다.

그러나 학교를 다니지만 소 먹이고 꼴 베고 나무하고 하면서, 공부는 대충 할 수밖에 없었다. 당시 시골 환경은 거의 그랬다. 대부분 농촌이었지만, 우리 마을은 산으로 둘러싸인 산골이었다. 70여 가호쯤 되는 작은 마을이었는데, 남북으로 길게 우리나라 지도처럼 생겼고, 우리 집 동쪽으로 흐르는 개울과 마을 서쪽으로도 더 작은 도랑이 흘러, 세수도 하고 빨래도 하는 곳이었다.

할아버지가 일러주신 대로 우리 집 주소는 영현면 대법리(大法里, 法村 마을) 16번지였다. 동쪽 도랑이 면(面) 경계선이라, 도랑 건너 동쪽에 대가면장(강 면장) 집 마당이 바로 내려다보이는 곳이 우리 집이었다. 초등학교는 대가면에 있는 송계 초등학교를 다녔다. 우리 영현면의 영현 초등학교는 좀 더 멀었기 때문이었고, 송계 학교는 지금 100년이 훨씬 넘은 곳으로서 주변에서 역사가 가장 오래된 유서 깊은 학교였는데 폐교됐다.

나중에 공무원이 되어서는 감사 업무를 6년 이상 담당하면서 공무원 징계업무까지 혼자 도맡아 했으니, 남달리 많은 공부와 노력을 한 것 같다. 피감자보다 나아야 감사가 제대로 되고, 소송을 하더라도 이길 수 있는 실력이 있어야 되기에 각종 자료와 대법원 판례까지 근거를 확보하고, 각종 감사 조사 보고서를 작성하는 것도 문장력에 도움이 되었다고 본다.

뒤에 인사 업무를 볼 때에도, 기관장 지휘보고 업무를 함께 담당한 것이, 기획하고 글을 쓰는 일이었고, 서정적인 글과 거리가 있다고 보겠지만, 논리적인 글도 도움이 됐다고 생각한다. 기관장이 자기에게 인사권을 행사하는 자에게 지휘보고를 한다는 것은 중차대한 일이라 할 수밖에 없다. 매월 정기적으로 보고할 때가 되면 긴장이 안 될 수 없는 것은, 일개 '행정주사보'의 평상시 업무와 생각으로는 구청장이나 시장의 생각을 짐작할 수 없기에, 나는 생각의 틀을 키우기 위한 나름대로의 방안이 있었다.

지휘보고 날짜가 다가오면 퇴근시간에 퇴청하여 허름한 술집으로 들어가 술을 마시고 기분이 좋아지면 노래까지 한 곡 뽑아 볼 때도 있었는데, 어느 정도 술기가 전신에 퍼지면 그때야 일터에 다시 들어오는 것이다. 대략 저녁 9시가 넘어 사무실에 혼자 앉아 졸병의 신분에서 벗어나, 담대하게 마음을 키워, 내가 구청장이나 시장이라고 스스로 칭하고, 무슨 일을 해야 할 것인지 생각하는 것이다. 번개처럼 스쳐 떠오르는 생각은 바로 백지에 휘갈겨나가는 것이다. 순식간에 몇 개의 제목과 내용을 요약하고 만족하여 퇴근한 후, 다음 날 점잖게 다시 정서하여, 중간관리자를 거쳐 임용권자인 기관장에게 보이면 순조롭게 결재되고, 다시 필경사를 시켜 정서하여, 기관장 서명과 도장을 받아 밀봉하여 인편으로 제출하면 한숨 돌리는 것이다.

문제는 술을 마시지 않고 보고서를 만들었을 때다. 희한하게 보고서가 되지 않고, 그래도 결재를 올려 보면 중간관리자가 먼저 나에게 말했다. "박주영! 이 보고서 술 안 먹고 만들었지?" 그랬다고 답변하면, "그러면 그렇지, 그런 냄새가 나!" 하면서 다시 한번 만들어 보라고 내게 권유했고, 나는 그날 퇴근 즉시 술집으로 직행하여 그러한 고통스러운(즐거운?) 과정을 거쳐 당당히 결재를 받아내는 것이었다.

그런 과정에서 기관장의 성격과 기획력이 월등히 다르다는 것도 알 수 있었다. 다 그런 것은 아니지만, 대체로 연세가 지긋하신 분은 보수적이라, 내가 다섯 개 정도의 지휘보고 제목을 보여드리면, 두 개 정도만 보고하고 나머지는 감추어 두라는 것이다. 돌아서면 보고할 때가 오는데 그때 써먹어야 한다는 뜻이다. 그러나 청와대에 근무하다 내려오신 젊은 기관장님은 내가 미리 세 개 정도만 적어 올려드리면, 대뜸 "이것밖에 없어?" 하시며, 당신이 직접 만년필을 열어 몇 개의 제목과 내용을 휘갈겨 주시는데, 가져와서 다시 읽어 보면 토씨 하나 고칠 것도 없이 바로 좋은 보고 글이 되기에 깜짝 놀란 적이 있었고, 이후에는 나도 더 심사숙고하여 보고서를 만들던 기억이 새롭다.

지방의회도 없던 부산직할시 시절, 시장 도지사나 시장 군수 구청장을 정부에서 임명하던 (군사정권?) 시절의 한 풍경이었다. 이런 과정이 글을 쓰도록 도움이 되는 시간이었기에, 장황하게 늘어놓았다.

그 뒤 주관식 논술시험이 있었는데 세 과목 다 최고 점수를 받은 적이 있었고, 그런 후 사무관 시험에도 단숨에 합격하여 몇 년 되지 않은 시점에, 공무원은 늘푼수가 없다고 생각되고, 사나이는 젊을 때 변신하지 않으면 안 되겠다 싶어, 사표를 내고 나왔다. 정년이 18년 정도 남았을 때 사무관을 했으니, 근무를 계속했더라면 두어 직급 이상은 더 승진하여 고위직을 누릴 텐데 안타깝다고 탄식하는 사람들의 소리는 듣지 않았다.

사회로 나와 처음에는 과분할 정도로 잘 나갔다가 또 몇 년 만에 정치에 대한 회의를 느껴 그만두고, 좀 쉬어 보자는 생각을 하면서 놀다가 마케팅 회사에 들어가, 또 맨 밑바닥부터 시작하여 고속으로 승진, 총국장을 맡고 잘 나가다가 불의의 상황을 맞아(회사가 없어지니), 쉴 수밖에 없었다.

돌이켜 보면 잘 닦아 놓은 공직의 길을 정년까지 채웠더라면 편안하고 안정된 인생을 즐길 수 있었는데, 공연히 뛰쳐나와 맨땅에 헤딩하며 밑바닥부터 다시 한다는 게 젊을 때는 부끄럽지 않았겠지만, 몇 번을 다시 한다는 것은… '과하지욕(跨下之辱)'도 한두 번이지 쉬운 일은 아니었다.

그러던 중 어릴 때부터 친근하던 한자와 한시(漢詩)의 묘미를 다시 느끼면서, 우리 시(詩)에 대한 관심을 가지게 되고, 뒤늦게 사회관계망에 사진과 함께 생활 에세이식으로 올린 것이, 아마 문단에 머리를 내민 계기가 된 것 같다. 차제에 한국농민문학회장 배 시백 님을 만나 시단(詩壇)에 등단하게 되어 항상 고마운 마음을 가지고 있는 것이다.

좋은 나무를 깎으려면 '대패질하는 시간보다 대팻날을 가는 시간이 길다'는 것을 어찌 잊을 리 있겠는가. 그동안 읽지 못하고 미처 해 보지 못한, 다독과 다상량을 일상화하면서 새로운 시작을 하는 것이다. 다시 한번 하고 싶은 것을 할 수 있어 감사하고, 기쁘고 즐거움과 함께하기에 더 좋은 것이다.

세상은 언제나 시끄럽지만 글을 대하면 아늑하게 빠져든다. 앞으로 재미있게 많이 읽히는 글을 쓰고 싶다. 연못에 버렸던 달도 건져 올려 안아 볼 것이다. 누구나 책을 읽고, 신선하고 건강하고 격조 있는 삶을 사시길 소망한다.

평소 SNS에 썼던 보잘것없는 시와 에세이 등을 그대로 올렸거나 개작한 것으로 조그만 글 우선 펴 보이지만 부끄럽다. 모든 분에게 감사한다.

기도하며 피는 꽃

박주영 문학선

발행일 2025년 1월 6일

지은이 박주영
펴낸이 마형민
기획 강채영
편집 곽하늘 강채영 최지인
디자인 김안석 조도윤
펴낸곳 주식회사 페스트북
홈페이지 festbook.co.kr
편집부 경기도 안양시 동안구 관악대로 488
씨앗트 스튜디오 경기도 안양시 동안구 안양판교로 20

ISBN 979-11-6929-657-1 03810
값 17,500원

* 페스트북은 작가중심주의를 고수합니다. 누구나 인생의 새로운 챕터를 쓰도록 돕습니다.
creative@festbook.co.kr로 자신만의 목소리를 보내주세요.